le réformiste ou l'honneur des hommes

Photos de la couverture

La photo de Marcel Dubé (couverture et intérieur) est signée John Taylor et nous a été gracieusement offerte par *Montréal-Matin*.

Photo de droite : Thalès de Milet *(Cl. Viollet)*
Photo de gauche : Platon *(Cl. Alinari-Viollet)*

Maquette de la couverture : Jacques Léveillé.

ISBN 0-7761-0060-2

Dépôt légal — Bibliothèque nationale du Québec
1er trimestre 1977

le réformiste ou l'honneur des hommes

marcel dubé

THÉÂTRE/LEMÉAC

Régis,
la réforme et la strychnine

par Pierre Filion

Après Un matin comme les autres *et* Au retour des oies blanches, *l'œuvre de Marcel Dubé a pris une orientation différente. Le recul du temps et la création du* Réformiste *permettent maintenant de considérer l'*Impromptu de Québec, l'Été s'appelle Julie *et* Dites-le avec des fleurs *comme des textes de circonstance et de transition. Avec* Le Réformiste ou l'Honneur des hommes, *tragédie en treize tableaux d'une intensité soutenue, Marcel Dubé renoue avec les lignes de force de son théâtre politique, analysant plus en profondeur encore le destin d'un homme aux prises avec les destinées d'un peuple à venir, et introduisant dans sa dramatique une nouvelle technique, dynamique: la mise en scène de la mémoire.*

La fécondité de la nouvelle pièce augure bien pour la suite de l'œuvre. Au-delà des critiques dont l'ensemble de l'œuvre a été l'objet jusqu'à maintenant, monde noir, philosophie de l'échec, de l'amour malheureux..., il y a, d'une pièce à l'autre, une continuité indéniable qui en assure la force et l'originalité. Le Réformiste *s'inscrit donc dans cette continuité, dans ce qu'il est presque convenu d'appeler une certaine «tradition» dramatique propre à l'auteur. Les familiers du «monde» de Marcel Dubé, qui suivent son évolution depuis plus de vingt-cinq ans, ne manqueront pas de relier les nouveaux personnages de cette tragédie aux figures déjà connues de son univers: entre Timor et Robert (*Au retour des oies blanches*), il y a une parenté certaine, qui va de la drogue à l'homosexualité, en passant par l'adulation de la mère et l'opposition du père; entre Cybèle et Geneviève, Vivi* (Au retour des oies blanches*), un même amour incestueux pour leur père, involontaire chez Geneviève pour ce père qu'elle croit être son oncle Tom, consenti mais intact chez Cybèle; entre Sapo et le Gaston de* Bilan, *une filiation évidente, les deux hommes s'agitent à l'ombre du héros principal, et ils ont en commun bien plus que leurs souvenirs de guerre, etc.*

Mais les spécialistes devront se garder d'associer trop facilement Régis, le personnage central du Réformiste, *à la galerie de pères de famille, d'hommes d'affaires, d'hommes politiques ou d'hommes tout court qui bâtissent leur vie sur le dos des autres. Régis, s'il est issu de cette lignée qui a déjà créé Max ou William, ne mène pas le même combat qu'eux, l'argent et le succès ne sont pas pour lui les armes d'un certain bonheur. Avec l'introduction de Régis, le débat monte d'une octave, c'est un réformiste, dévoué à sa mission, un assainisseur des mœurs scolaires et des consciences politiques, un apôtre de l'humanisme, qui a préféré la ligne du risque à celle du compromis.*

À cinquante-cinq ans, Régis est l'homme de plusieurs vies, tour à tour élève, soldat, jésuite, professeur, mari, importateur, et l'homme de plusieurs amours : Locuste, sa femme, pour qui il délaisse l'amour exclusif de Dieu, Myra, pour qui il délaisse l'amour de Locuste, Cybèle, sa fille, pour qui il mourra, dans la fidélité de l'image qu'elle se fait de son père, Princesse, sa secrétaire, pour qui il est, dans le silence tourmenté de son cœur, un dieu, et Cynthia, lointaine Anglaise oubliée qui n'est plus que la beauté ancienne d'un souvenir de guerre. Jamais, jusqu'à présent, un personnage de Dubé n'aura été le carrefour d'autant de tensions contradictoires et pourtant complémentaires, jamais un homme n'aura tenu en ses mains le destin d'autant d'amours. Autoritaire, orgueilleux, idéaliste radical, têtu, mais fort dans la solitude de sa dernière veillée d'armes que constitue cette pièce, Régis est fort comme peut-être aucun des personnages masculins de Dubé n'a pu l'être jusqu'ici, fort jusqu'à être victime de sa force.

Aux yeux de plusieurs, Régis sera davantage un réactionnaire qu'un réformiste. Mais il ne faut pas s'y tromper. Régis ne veut pas tirer un profit personnel des réformes qu'il tente d'apporter depuis un an à cette super-polyvalente, il sert une noble cause, il s'est trouvé, ancien prêtre de la Compagnie de Jésus, une vocation. Le réactionnaire veut remettre en place une structure ancienne, toute à son intérêt, aveuglément. Le réformiste, au contraire, pense à sa cause avant tout. Régis veut, à l'intérieur des nouvelles structures d'éducation qui ont été créées au Québec après la fièvre et l'euphorie de la Révolution tranquille et du Rapport Parent, redonner à l'enseignement la visée première qu'elle a perdu en cours de route : former des hommes et des femmes pour la société de demain, en assurant auprès d'eux l'existence de ce qui s'appelait au sens large les humanités, au sens strict une morale de vie, la connaissance et le respect critique de la tradition de pensée occidentale. Son attachement pour les valeurs qui n'ont plus cours empêche tout dialogue, car les interlocuteurs, les porte-parole, manifestement, tiennent le débat une octave plus bas. Le temps des hommes, celui que Régis défendra jusqu'à sa mort, celui que Grieve et De Guise n'acceptent pas de mettre dans la négociation, c'est le temps de la constante, de l'humanisme occidental, autour duquel les crises, à gauche ou à droite, marxiste ou chrétienne, font l'effet de coups de balancier.

Régis a peur du monde mouvant, celui du changement perpétuel qui tient lieu de stabilité et de paix intérieure. Il voudrait une éducation idéale pour une société idéale, mais il doit composer avec de nouveaux dieux qui s'appellent les syndicats, la sous-machine politique, la contre-culture, les hallucinogènes... À l'assassinat de l'enfance, ce bâtisseur de cathédrales, d'un geste exemplaire, responsable, ce rédempteur anachronique veut mettre une fin radicale, pour sauver l'innocence et l'honneur des hommes. Il faudra bien qu'un jour, quelqu'un, quelque part, donne un coup de barre et arrête l'hémorragie des cerveaux qui coule depuis trois générations, et redonne aux hommes de demain le goût de l'idéal et de l'absolu. Maintenant que la machine est en marche et tourne à vide, Régis veut lui insuffler l'oxygène vital, celui de la continuité. Ses vues sont à long terme, celles de ses «ennemis» demeurent à court terme. Il a choisi la ligne dure, la ligne de feu, sans cuirasse, ses adversaires se tiennent prudemment sur la ligne du compromis intéressé.

À chaque tournant de l'histoire politique du Québec actuel, les pièces de Dubé viennent témoigner d'une certaine inquiétude en dévoilant le jeu des consciences. Le Réformiste, *à notre avis, va plus loin encore, le politique et le moral n'y sont pas accessoires, ils deviennent les données centrales du problème que débat Régis, les composantes majeures de l'enjeu dont Régis sera l'incarnation puis l'immolation. Le drame se hausse d'un cran, et les personnages, un à un, presque dépassés par l'ampleur de cet enjeu qui déchire Régis, le laissent dans une profonde solitude, celle du chef qui croit en sa cause, qui y croira jusqu'à sa mort, et qui fera même de sa mort un geste qui en assurera la survie. Ce n'est pas une mort de pègriot ou de désespoir, c'est une mort symbolique, d'une beauté antique. Il meurt par destin, non par dépit. Au bout de sa nuit, dans la continuité. Comme Jean-Olivier Chénier.*

Comparaison astucieuse, d'autant plus que Dubé, réalisant un vieux rêve, parler de Jean-Olivier Chénier, héros tragique mort le 14 décembre 1837, victorieux dans sa destinée, donne une nouvelle dimension au personnage. Et cette sur-dimension, ce symbolisme qui s'accroche à notre histoire nationale, est nouvelle chez l'auteur. Le théâtre réaliste auquel il nous a habitués ne possédait pas ce registre. Le réformiste n'a plus, derrière lui, seulement un passé d'argent et d'ambition, il les oublie, il a une mémoire, sa mémoire, où habite Chénier, quelque part entre l'insurrection et l'indépendance.

À cette image de Chénier vient s'accoler, en surimpression, l'archétype du rédempteur, du sauveur des causes «désespérées». Association d'autant plus permise parce qu'encouragée par l'allusion à la couronne d'épines que porte Régis, et à son immolation. Régis, l'idéal d'un Chénier, la vocation d'un Christ. Évidemment, il y a loin de la croix du Christ et des balles de Colborne, le Vieux Brûlot, jusqu'à la strychnine. Autre temps, autres moeurs, mais un même rêve démesuré, de rédemption, une chance sur cent, suffisante pour y donner son cœur et son sang.

Si le personnage de Régis peut prendre place dans le monde de Marcel Dubé, on voit maintenant qu'il procède d'un univers qui jusqu'ici n'était que marginal ou subordonné dans l'ensemble de l'œuvre. Parallèlement, l'écriture de Dubé, si elle continue sa démarche réaliste, cherche-t-elle à innover sur plusieurs plans. Les noms des personnages, par exemple, témoignent d'une recherche certaine. Entre Régis et William, Max ou Achille, Robert, il y a une distance appréciable. Régis vient du latin, rex, regis, roi, régir, régence ; Timor, de timor, timoris, peur, crainte ; Sapo, de sapiens, sapientis, sagesse ; Courrier porte le nom de sa fonction ; Grieve pourrait venir de grief. Le nom Myra s'associe spontanément à mirage, mirage de l'amour. Celui de Locuste est d'une venue plus ancienne, puisqu'il s'agit du nom d'une empoisonneuse romaine, qui servit les fins mortelles d'Agrippine contre Claude et celles de Néron contre Britannicus ; ce rôle d'empoisonneuse, Locuste le joue ici en causant la perte de Régis jésuite, coupant un rapport de force entre lui et Dieu : «Je reviendrai vous voir une dernière fois. Pour mon salut et pour votre perte» (Quatrième tableau). Flip, nom sonore, viendrait peut-être des jeunes personnages de Dickens. Cybèle a été retenu pour la beauté du personnage. Quant à Princesse, il y a dans son choix une consonnance ironique ; c'est un être-esclave au service exclusif de son maître depuis quinze ans, elle lui appartient, un peu servilement, toute consacrée à son devoir, *sorte de sublimation de l'amour qu'elle lui porte et qu'elle finira par avouer, devant Courrier, tragiquement. Avoué au grand jour, cet amour ne peut plus survivre. Princesse s'immole, pour son dieu, préfigurant l'immolation de Régis qui la rejoindra dans la mort.*

*Ce dernier personnage est important, il introduit dans la technique dramatique de Dubé la «vieille» mécanique du songe prémonitoire, du présage, généralement funeste, que le héros prend à la légère ici, et qui se réalisera à coup sûr. Les écritures antique et classique ont utilisé fréquemment ce procédé; qu'on se rappelle les songes d'Agamemnon, ou celui, plus récent, mais d'un même esprit, de l'*Athalie *de Racine (acte I, scène V):*

Un songe (me devrais-je inquiéter d'un songe?)
Entretient dans mon cœur un chagrin qui le ronge.
Je l'évite partout, partout il me poursuit.
C'était pendant l'horreur d'une profonde nuit.
....

Pour la première fois dans son écriture dramatique, Dubé a construit sa pièce en faisant intervenir, dans une sorte de chassé-croisé heureux, les différents temps du drame, rendant possible l'action de la mémoire, non plus son évocation, comme les flashes qu'avait Élizabeth lorsque sonnait la cloche des Ursulines, mais son incarnation scénique, comme une trame parallèle: mémoire lointaine, celle du jésuite, de Myra encore prostituée, de Timor, exemple vivant de sa faute, de Cybèle avec son ballon, mais aussi mémoire toute proche, celle des paroles de Myra, de Sapo, de Timor, de Locuste, quelques heures auparavant, à l'intérieur du drame.

Pour la première fois également, le héros principal reste en scène du début à la fin, sans pitié, sans répit. Dans Un matin comme les autres, *Max était aussi en scène tout au long de la pièce, mais l'entracte permettait un écoulement de deux ou trois heures. Ici, aucun truquage, le temps passe au complet, inexorablement. Et pour la première fois, un homme se suicide dans le monde de Marcel Dubé, lucidement, à la strychnine, déjà présente mais non active dans* Au retour des oies blanches. *Il y a dans la venue de ce suicide quelque chose d'inévitable qui donne à la pièce sa dimension tragique. L'homme est déjà, au début, devant cet acte ultime, consécration suprême de son messianisme idéologique.*

Si Régis mène un combat loyal, pacifique, presque serein malgré une détermination farouche et intransigeante, il n'a plus, à la fin, le choix des armes. Le jeu est faussé, la Brigade d'Octobre, qui ne se réclame ni des ouvriers ni des professeurs, mais qui tient peut-être de l'influence de ces deux mouvements sur les étudiants, entre en action. Cette nouvelle tension sociale, le terrorisme plus ou moins gratuit, selon le degré d'aveuglement de ses objectifs, vient forcer la main de Régis, enlevant Cybèle, son principe vital, biaisant le débat, provoquant la fin soudaine du personnage, et laissant le conflit ouvert. La réforme reste à faire, elle aura un mort sur la conscience, un mort encombrant, un mort qui se souvient.

Dominé par le personnage de Régis, homme-orchestre autour duquel gravitent les destins de quatre femmes et celui d'une enfance en péril, Le Réformiste *marque un temps fort du monde de Marcel Dubé. L'écriture parfois polémique, extrêmement lucide, de cette tragédie en treize tableaux ouvre un nouveau volet sur l'œuvre à venir. C'est à suivre, comme une histoire d'amour.*

Pierre FILION

Marcel DUBÉ naît le 3 janvier 1930 à Montréal. Son enfance se joue dans les rues du «faubourg à m'lasse», puis dans les environs du Parc Lafontaine. Il se souvient de ses premières années d'école primaire chez les religieuses du Jardin de l'Enfance, chez les laïcs de l'école Champlain. C'est l'âge des bandes d'adolescents naïfs, rêveurs, bâtisseurs de chimères.

Le Collège Sainte-Marie, grand carrefour des Jésuites, reçoit des «génies en herbe»! Marcel Dubé y poursuit ses études classiques. Il s'intéresse particulièrement aux lettres françaises, aux premiers cours sur la littérature canadienne-française. Il s'intéresse aussi au hockey. Très jeune, il devient le gardien de but de la «grande équipe» du Collège.

Le Sainte-Marie, c'est aussi le Gesù. Le collégien assiste à de nombreuses représentations théâtrales. En 1948, il présente au concours littéraire de l'Association Catholique des Jeunes Canadiens un recueil de poésie, *Découvertes intérieures*.

Le collège terminé, il fait un bref séjour dans les Forces armées canadiennes. L'année suivante, 1951-1952, il s'inscrit à la Faculté de Lettres de l'Université de Montréal. Il souhaite y obtenir une licence, peut-être une maîtrise, et devenir professeur ou...

Mais, déjà en 1950, *Le Bal triste*, pièce en un acte, a été joué à la salle de l'Ermitage du Collège de Montréal. *De l'autre côté du mur,* en 1952, l'oblige à choisir: poursuivre ses études ou se lancer dans l'inconnu de la création dramatique à plein temps.

La suite est presque du domaine public. «La Jeune Scène», sa troupe, remporte de nombreux prix au Festival National d'Art dramatique de 1953, avec *Zone*.

Les titres se succèdent. La scène, la radio et la télévision accueillent ses œuvres. Par exemple, «Les Nouveautés dramatiques» à la radio de Radio-Canada diffusent quatorze dramatiques en peu de temps: trois en 1951, trois en 1952, six en 1954 et trois en 1957. À la télévision d'État, entre 1952 et 1972, on présente vingt-trois téléthéâtres, un quatuor, deux feuilletons. À la scène...

Le théâtre de Marcel Dubé s'engage profondément dans le projet d'une dramaturgie québécoise, nationale.

Au mi-temps d'une carrière, à peine ralentie par les caprices de la maladie, on retient trois étapes: du *Bal triste* à *Bilan* (1950-1960), c'est l'enfance d'un univers dramatique; de *Bilan à Un Matin comme les autres* (1960-1968), c'est l'adolescence, la crise et l'éclatement; d'*Un Matin comme les autres* au *Réformiste* (1968-1977), c'est l'âge du jeune adulte, de la trentaine en action. À moins que *Le Réformiste* n'ouvre une nouvelle ère!

Il a beaucoup écrit, on l'a beaucoup joué. Force ou faiblesse? Une chose est certaine: les gens du Pays s'identifient à son œuvre.

Bref, *Zone*, *Un Simple soldat*, *Au Retour des oies blanches* sont devenus des «classiques». Ils ont brisé la limite des intentions dramatiques.

Et ce n'est là qu'une face d'un ensemble littéraire. Marcel Dubé a fait aussi du journalisme, des scénarios, des... De la poésie dont *Poèmes de sable*, un des plus grands recueils parus ces dernières années, est un parfait témoignage.

Demain, Dubé...

Jean-François CRÉPEAU, m.a.
9 février 1977.

À mon ami, Roger Lemelin

LE RÉFORMISTE
OU
L'HONNEUR DES HOMMES

La pièce de théâtre *Le Réformiste ou l'honneur des hommes* a été créée au Théâtre du Nouveau Monde le 4 février 1977, dans une mise en scène de Fernand Déry.

DISTRIBUTION

RÉGIS ....Guy Godin
PRINCESSE.......Marie Fresnière
COURRIER........René Gagnon
TIMOR ....Serge Hamelin
SAPO ....Pierre Dufresne
LOCUSTE..........Nathalie Naubert
MYRA ....Carole Chatel
CYBÈLE............Claire Pimparé
DE GUISE ....Marcel Girard
GRIEVE ....Yves Massicotte
LOUVIGNY ....Marc Proulx

Le décor était signé Mark *NEGIN*, les costumes étaient de Gyshlaine *OUELLET* et Mark *NEGIN*, la musique de Gérard *SOUVAY* et Claire *SYRIL*, et l'éclairage de Sylvain *TREMBLAY*.

PERSONNAGES

RÉGIS	55 ans
LOCUSTE	45 ans
CYBÈLE	21 ans et à 12 ans
TIMOR	il aurait 23 ans
FLIP*	sosie de Timor
MYRA	30 ans
SAPO	54 ans
COURRIER	30 ans
PRINCESSE	44 ans
LOUVIGNY	42 ans
DE GUISE	32 ans
GRIEVE	40 ans

DES VOIX ANONYMES OU IDENTIFIÉES

* Le même comédien doit jouer les rôles de Timor et de Flip.

DÉCOR

Il est d'un grand dépouillement, à l'image du drame qui s'y joue. Situé au troisième et dernier étage de la super-polyvalente Chénier, il constitue le bureau du directeur Régis. Voilà ce que l'on y trouve: une immense baie vitrée donnant sur un chantier de construction paralysé (des silhouettes de hautes machineries lourdes se profilent contre le ciel bas), des tableaux suspendus dans l'espace, dont l'un est une réplique d'une gravure illustrant la mort de Chénier à Saint-Eustache en 1837, dont un autre est un portrait de Cybèle et dont les derniers représentent de grands paysages nus, abstraits presque, dans le style des toiles de Lemieux. Il y a aussi le fauteuil et la longue table de travail de Régis sur laquelle sont posés un appareil de téléphone à boutons multiples, une carafe, un verre, un seul dossier ouvert et un magnétophone pour la dictée; la table et le fauteuil pourraient être haussés sur un praticable et c'est tout. Car il est important de ne pas encombrer la scène d'accessoires inutiles, non fonctionnels, afin d'y réserver une grande aire de jeu entièrement libre. Les réflecteurs pendent visiblement des cintres ou surgissent des coulisses de chaque côté, ayant des rôles importants à jouer dans ce drame de solitude où le temps présent et des temps antérieurs se croisent ou se doublent à plusieurs reprises.

PREMIER TABLEAU

Le rideau s'ouvre et c'est le noir. Solennité des ténèbres que perce seulement une note d'orgue aiguë et soutenue. Puis graduellement, de faibles éclairages effleurent un à un les tableaux, la baie vitrée, le chantier de construction, la table de travail et finalement Régis qui, immobile, le menton appuyé sur ses deux mains jointes, pose les yeux sur le dossier devant lui quand il ne fixe pas le vide pour réfléchir. À part la note de musique toujours soutenue c'est le silence et l'immobilité jusqu'à ce que la sonnerie de l'intercom donne le signal de l'action. Alors la note de musique cesse brusquement de se faire entendre, les choses sortent de leur pénombre et lentement Régis bouge pour presser sur le bouton du téléphone et décrocher. Il est six heures du soir au début du mois d'octobre.

RÉGIS, *calme* — Qu'est-ce qu'il y a Princesse?

VOIX DE PRINCESSE, *éraillée mais bonne* — Il y a Courrier qui veut vous voir, monsieur. C'est la première chose; et la seconde est que j'ai peur... pour vous, monsieur.

RÉGIS, *avec un sourire un peu fatigué* — N'ayez donc aucune crainte en ce qui me concerne et dites à Courrier d'entrer. Quelle heure est-il maintenant, Princesse?

VOIX DE PRINCESSE — Votre montre s'est encore arrêtée? Il est six heures cinq, monsieur.

RÉGIS — S'il est six heures cinq, vous êtes doublement en faute, mademoiselle. Car vous devriez être rentrée chez vous et ne plus avoir peur.

VOIX DE PRINCESSE — Ici ou chez moi, la peur ne me quitte pas; surtout depuis la nuit dernière; il y a tant de mauvais présages partout.

RÉGIS — Dites à Courrier d'entrer et oubliez les mauvais présages; car dans les situations difficiles nous n'avons qu'une seule alternative: agir ou nous rendre. Mais surtout ne pas succomber à la panique; jusqu'ici rien n'est désespéré, ne pensez qu'à cela s'il vous plaît. Il n'y a de désespérant que la bêtise humaine. Quand même je vous remercie d'être encore au poste. Avant que vous ne quittiez, essayez de rejoindre Sapo et dites-lui que je veux le voir à tout prix. Il trouvera le moyen de se rendre jusqu'à moi.

Il raccroche et redevient immobile. Même lorsque paraît Courrier, Régis met un certain temps à remarquer sa présence et à tourner la tête dans sa direction. Courrier est encore un jeune homme et de belle apparence. Il a un visage ouvert, une contenance virile et semble décontracté. On le sent capable d'honnêteté, de franchise et de fidélité, et pourtant...

RÉGIS — Je t'ai attendu, Courrier.

COURRIER — J'ai rencontré quelques journalistes... pour leur expliquer certains faits qu'ils semblent ignorer.

RÉGIS — Je ne te blâme pas mais les journaux et ceux qui les publient n'entrent pas dans mes préoccupations majeures. L'essentiel se circonscrit encore et toujours aux changements impérieux que nous devons apporter dans cette baraque... La situation, Courrier?

COURRIER — Vous voulez la vérité?

RÉGIS *hausse légèrement la voix* — Depuis que je suis en poste ici, depuis que tu me connais et depuis que je t'ai adjoint à mon bureau, ai-je cherché autre chose que la vérité? La situation, Courrier et sans détour.

COURRIER, *froidement* — Elle est pourrie à l'os.

RÉGIS — Très bien. C'est lorsque nous approchons des extrêmes que les ténèbres se dissipent. Précise maintenant.

COURRIER — Les agents de sécurité que vous avez engagés pour surveiller les entrées et les points stratégiques de l'édifice parlent de fermer les yeux et de ne plus prendre leur rôle au sérieux.

RÉGIS — Eux au moins ont des motifs profonds pour réagir ainsi.

COURRIER — Pardon?

RÉGIS — Eux je les comprends. Eux ne font pas de phrases ni de démagogie. Parce qu'ils n'ont pas de dispositions naturelles au mensonge et au chantage. Eux ce sont aussi des innocents: à la solde d'une agence sans scrupule qui les récupère dans la misère, au bord d'une minable retraite, et leur offre des gages d'indigents. Ils gagnent leur salaire dans l'angoisse ou la peur. As-tu déjà remarqué sur leur visage, la tristesse et l'impuissance qui ressemblent parfois, il est vrai, à de la hargne?

COURRIER — C'est possible, oui. Mais s'ils laissent envahir l'établissement? S'ils permettent aux enragés des différentes factions de tout saccager et de jeter par terre ce que vous tentez de construire et de protéger ici depuis plus d'un an?

RÉGIS — J'agirai alors comme eux et j'avouerai ma défaite. Par la force des choses, je deviendrai aveugle et je les rejoindrai dans leur innocence.

COURRIER — Au risque de votre vie? Car tout à l'heure, ce sera peut-être votre vie qui sera en jeu. Le savez-vous?

RÉGIS — Je n'y pense pas. Je laisse ces préoccupations à ma fidèle Princesse. Comme tu vois, je peux même déléguer à d'autres les appréhensions que je devrais avoir. Elle a été assaillie de présages la nuit dernière.

COURRIER — Je ne vous ai jamais donné de conseils, Régis. Ce n'était pas mon rôle et vous ne m'en avez jamais demandés. Mais méfiez-vous. À votre place, je prendrais au sérieux les présages de votre secrétaire.

RÉGIS — Tu me sembles manquer de nerf, Courrier. Tu n'es plus tout à fait le même jeune homme que je retrouvais à mes côtés au début du conflit. Tu n'as plus la même conviction, ni la même fermeté, ni la même ferveur. Est-ce que je me trompe?

COURRIER *se trouve rapidement une contenance qui lui sauve provisoirement la face* — Oui. Car je n'ai pas changé. Je suis simplement conscient de ce qui se passe à l'extérieur et autour de vous et je sais que vous devrez prendre d'ici quelques heures de très graves décisions.

RÉGIS — Garde en mémoire que c'est de mon seul ressort et ma seule responsabilité. Alors, qu'est-ce qui se passe dehors?

COURRIER — Les ouvriers du chantier se massent présentement dans l'entrée principale. Certains d'entre eux sont armés d'outils dangereux. Les enseignants sont postés depuis ce matin devant l'Aile B et d'heure en heure leurs rangs grossissent. Leur président a fait hier soir un pacte de front commun avec les chefs ouvriers.

RÉGIS — Comme s'ils n'étaient pas déjà tous liés par la même volonté de s'opposer à mes volontés et à mon action.

COURRIER — Les élèves sont rassemblés derrière le Pavillon de la Culture.

RÉGIS — Ils sont combien?

COURRIER — Des milliers.

RÉGIS — Cette pièce est trop bien insonorisée. Je n'ai pas encore entendu leurs chants d'apprentis-révolutionnaires. Et les parents?

COURRIER — Ils font la navette entre les trois groupes et leur donnent leur appui. Hormis les gardes de sécurité qui ramollissent dans leurs fonctions à l'intérieur, il n'y a aucune protection de la police à l'extérieur; pas plus de la Communauté Urbaine que du Gouvernement. Je vous ai dit pour les journaux. Les autres médias d'information diffusent d'heure en heure des capsules de nouvelles sur l'état de plus en plus critique de la situation. Ce qui commence à alarmer les citoyens.

RÉGIS *sourit* — Que les masses silencieuses et innocentes s'alarment, cela devient de moins en moins important. La population s'ennuie et elle a besoin de remous et de suspenses. Les modes de vie actuels ne leur laissent pas le loisir de roupiller en paix. Lorsque de grands événements secouent le monde, les masses sont à l'affût. Lorsque rien ne se passe nulle part, elles ont besoin de films d'horreur et d'émettre des opinions. Plus il y a d'horreur plus les gens se reconnaissent dans leur laideur et leurs vices; plus il y a d'opinions divergentes émises, plus ils éprouvent la sensation de vivre librement sans se rendre compte qu'ils s'émiettent. Les enfants sont derrière le Pavillon de la Culture, Courrier?

COURRIER — Oui.

RÉGIS — Étrange. C'est pourtant le moins fréquenté. Sauf dans les occasions où ils organisent des « sit-in » ou lorsque les enseignants y convoquent des sessions d'étude... Présentement, ils ne sont pas seuls les enfants, Courrier. Je me doute bien que certaines ombres se mêlent au rassemblement qu'ils forment. N'est-ce pas, Courrier? N'est-ce pas, Courrier, que des membres de la petite pègre sont de la fête, jouant aux grands frères, tirant profit eux aussi de l'innocence, pour la consolation des marchands d'euphorie et de voyages au pays des éclipses?

COURRIER — Vous ne pouvez pas oublier votre fils Timor, n'est-ce pas?

RÉGIS — Laisse mon fils Timor à son destin funeste. Il n'est plus. Il n'a pas été que la victime de cette pourriture. Dès sa tendre enfance, d'autres l'avaient marqué et condamné... Comment définis-tu encore la situation, Courrier?

COURRIER — Précaire. Vous êtes de toutes parts assiégé.

RÉGIS — Nous sommes assiégés, Courrier. Et ce « nous » n'inclut pas que toi, Princesse et moi. Princesse, je te chargerai de la mettre à l'abri ce soir. Quant à toi je te laisse libre de te retirer du conflit jusqu'à ce qu'il soit réglé.

COURRIER — Je n'ai jamais songé à vous laisser seul. Je combattrai à vos côtés jusqu'au bout.

RÉGIS *s'est levé depuis un moment et se dirige vers Courrier pour passer son bras autour de ses épaules et le presser contre lui* — Jusqu'au bout, cela peut te mener très loin, Courrier. Mais j'ai besoin de toi même si j'ai envie de te dégager de ta fidélité. Les coups qui s'annoncent seront très durs.

COURRIER — Je vous suivrai là où vous voudrez.

RÉGIS *s'éloigne de lui* — Évite de le dire trois fois car le chant du coq pourrait bien se faire entendre... Non, Courrier, il n'y a pas que toi et moi qui sommes assiégés. Il y a aussi l'autorité que je représente. Cela signifie le conseil des ministres à Québec qui m'a délégué tous les pouvoirs, cela représente les commissaires à l'Éducation de trois comtés para-urbains qui m'ont donné leur appui sans réserve et qui se sont prononcés en faveur des réformes que je leur ai soumises, cela comprend aussi trois générations d'enfants perdus que l'on a privés de connaissance et d'humanisme élémentaire et que l'on a sacrifiés froidement à des entreprises de contre-culture et de pédagogie purement expérimentale. Tu le reconnais ça aussi, Courrier?

COURRIER — Oui, c'est ce dont vous m'avez fait prendre conscience lorsque vous m'avez choisi. Qu'attendez-vous de moi maintenant Régis?

RÉGIS — Deux choses. La première: que tu ramènes Princesse chez elle saine et sauve. La seconde: que tu continues de me tenir au courant de tout ce qui se passe à l'extérieur. Comme tu l'as fait depuis le début de la grève et depuis que j'ai décidé du « lock-out » du chantier de construction. *(Ce disant il va à son appareil téléphonique et compose le numéro qui le relie par l'intercom à Princesse)*

VOIX DE PRINCESSE, *presque tout de suite* — Oui, monsieur?

RÉGIS — Vous avez rejoint Sapo?

VOIX DE PRINCESSE — À l'instant, monsieur. Il vient aussitôt qu'il le peut.

RÉGIS — Merci. Je voudrais vous voir maintenant.

VOIX DE PRINCESSE — J'allais justement vous apporter votre dîner.

Elle raccroche et Régis aussi.

RÉGIS — Voilà, Courrier. Quelle serait la sortie la plus sûre, l'Aile A?

COURRIER — Je le crois, oui. En traversant d'abord le gymnase sans faire de lumière. Ainsi nous n'avons rien à craindre.

RÉGIS — Et toi? Personne ne fait obstruction à tes entrées et sorties?

COURRIER, *légèrement embêté une fraction de seconde* — Je suis le seul cadre qu'ils laissent circuler librement. Mais jusqu'à quand?

Entre Princesse qui apporte un petit plat d'aluminium et un verre de café à Régis.

PRINCESSE — Il ne restait plus que ça dans les distributrices. Ils empêchent les ravitailleurs de passer. Mais demain, j'apporterai des petits repas que je préparerai à la maison.

RÉGIS — Non, Princesse. Demain vous n'entrez pas. Vous n'entrez plus tant qu'il y aura des risques de violence.

PRINCESSE — Vous ne pouvez pas me demander cela, monsieur.

RÉGIS — Je le dois. C'est une question de sécurité. Courrier et moi ne sommes aucunement menacés, tandis que vous...

PRINCESSE — Tandis que moi, sans le travail, je ne suis plus rien. Que voulez-vous que je fasse de ma vie? Que vaut ma vie?

RÉGIS — Elle vaut ce que vous en donnez. Et vous m'avez énormément donné depuis quinze ans. Partout où je vous ai demandé de me suivre, vous avez été au poste.

PRINCESSE — C'était facile. Oh! oui, c'était facile. Avec le respect que j'ai toujours éprouvé pour vous, pardonnez-moi de vous le dire, certains soirs je regrette de ne pas être la femme qui eût pu vous donner même son sang et sa vie. Pardonnez-moi encore de parler ainsi devant Courrier.

RÉGIS, *presque comme s'il se posait la question* — Ruben Courrier est un jeune homme intelligent et sensible... Fidèle aussi. Si vous ne pouvez parler devant lui, devant qui d'autre le pourriez-vous?

PRINCESSE, *après avoir jeté un regard sur Courrier et sans répondre à la question de Régis* — Je dormirais à l'infirmerie et je serais à mon poste demain.

RÉGIS — Mais nous n'avons plus de vivres, Princesse, c'est vous qui l'avez dit. Les distributrices sont vides.

PRINCESSE — Courrier nous ravitaillera... puisqu'on le laisse entrer à sa guise! *(À Courrier.)* Ce serait possible n'est-ce pas?

RÉGIS — Je le crois.

PRINCESSE — Et puis cela me serait égal de jeûner pendant quelques jours, je pourrais perdre un peu de rondeur, ça ne nuirait pas.

RÉGIS — Il n'en est pas question. Jeûnez à la maison si vous le voulez mais aucun cheveu ne tombera de votre tête ni de la tête de quiconque parce que j'aurai pris une mauvaise décision.

PRINCESSE, *aux genoux de Régis, des larmes plein les yeux, le suppliant* — Mais vous ne pouvez pas, vous ne pouvez pas, monsieur Régis, me forcer à rester à la maison! Je vais mourir d'ennui et de peur. Tandis qu'ici il y a tous les dossiers, tout le travail du secrétariat en retard... Vous ne pouvez pas. Laissez-moi, laissez-moi revenir ou rester près de vous.

Pleurant, elle lui embrasse les mains.

RÉGIS, *fermé, presque dur* — Relevez-vous! Relevez-vous Princesse, une femme ne se met pas à genoux devant un homme. *(Crie presque.)* Jamais! Ni devant un homme ni devant Dieu!

Il lui tourne le dos tandis que Courrier aide Princesse à se relever.

PRINCESSE, *essuie ses yeux et se redresse* — Excusez-moi.

RÉGIS — Ne vous excusez pas non plus, ce n'est pas de mise.

PRINCESSE — Il faudrait que chaque homme ait votre force.

RÉGIS — Mais je ne suis pas fort Princesse, je ne suis ici que pour tenter de sauver l'innocence et l'honneur des hommes.

PRINCESSE — Je pars maintenant. Je vous obéis... Mais je vous demande une chose: est-ce que les hommes valent d'être sauvés de leur médiocrité?

RÉGIS — Je ne sais pas pourquoi mais j'en suis encore à l'âge de le croire. Et je n'ai plus le choix... Dès que les choses seront rentrées dans l'ordre, vous reprendrez votre poste, Princesse.

PRINCESSE — Ce moment ne viendra jamais trop vite.

Elle sort.

RÉGIS, *à Courrier* — Suis-la. Protège-la.

COURRIER, *admiratif* — Je me demande pourquoi j'ai eu pour père un marchand de clous.

RÉGIS — S'il n'y avait pas de marchands de clous comment les murs des maisons pourraient-ils tenir debout ? Comment pourrais-tu marcher dans tes souliers sans perdre tes semelles ?

Courrier lui jette un dernier regard et sort. Baisse d'éclairage sur la scène.

DEUXIÈME TABLEAU

Retour en arrière de quatre années. Quelques notes de guitare sans thème précis souligneront chaque retour sur le passé. Dans un coin sombre paraît Timor alors qu'il avait dix-neuf ans. Il porte un bras en écharpe et un pansement au front. C'est un jeune garçon frêle, au teint pâle, aux cheveux blonds.

TIMOR, *immobile, acerbe* — « L'homme aux semelles de vent »... c'est ainsi que l'on surnommait Arthur Rimbaud. Et c'est ce que tu as toujours voulu devenir, hein, papa ? Mais tu as maintenant cinquante ans !

RÉGIS *se tourne vers Timor* — Timor ! Que s'est-il passé ?

TIMOR — Un accident de travail, rien de plus.

RÉGIS — Tu nous avais promis, à ta mère et à moi, de ne plus fréquenter ce milieu de crapules.

TIMOR — Il faut bien que je gagne ma vie.

RÉGIS — Rien ne t'y a jamais obligé ! Tu n'as que dix-neuf ans. Remets-toi aux études, prépare-toi à un métier ou à une profession.

TIMOR — Il est trop tard. Et j'ai déjà un métier, que je pratique depuis l'âge de quinze ans.

RÉGIS — Ce que tu fais est indigne de toi, indigne de tout jeune homme.

TIMOR — Je suis le déshonneur de la famille, je fais le désespoir de ma mère et tu ne peux cacher ta honte et ta répugnance dès que je suis là.

RÉGIS — Pour moi, l'honneur ne s'est jamais situé au niveau de la famille ni des classes, mais il est dans le cœur de chaque homme. Et chaque homme se doit de l'assumer et d'en communiquer le sens aux autres. Quant à la répugnance dont tu parles, je ne l'ai jamais éprouvée.

TIMOR — Il faut croire alors que c'est de la pitié et que les gènes que tu m'as transmis n'étaient pas assez virils pour prolonger en moi tes aspirations de grandeur... Regarde-moi. Je suis ton fils Timor qui, à l'âge de quinze ans, draguait des hommes dans les bas quartiers de la ville. Qui à dix-sept ans, devenait «pusher» reconnu dans des cafés et des tavernes, qui a dix-neuf se livre encore au même trafic et drague encore des hommes. (*Défie son père qui le regarde un long moment en silence.*) Ça ne t'épate pas? Dis quelque chose maintenant! Ton fils Timor prend des risques, il n'a pas des occupations de tout repos, mais cela devrait faire ta joie! Il est sorti de la masse des enfants normaux, pour faire son propre chemin dans un monde qui ne pardonne pas. La preuve: un bras cassé, la figure amochée. Pourquoi? Parce qu'il a empiété sur le terrain d'un compétiteur.

RÉGIS — Est-ce que tu as raconté ces choses à ta mère?

TIMOR — Par le biais, mais elle n'entend rien. Que veux-tu? L'amour c'est stupide et aveugle. Elle m'a toujours considéré comme un jeune dieu. Elle a toujours cru que j'étais né pour un grand destin et que je ferais mes preuves le temps venu. Toi au moins, tu n'as plus d'illusions.

RÉGIS — Depuis ta naissance, j'ai voulu faire de toi homme et je ne considère pas encore avoir échoué.

TIMOR — D'un côté: l'affection maladive d'une mère inconsciente. De l'autre: la volonté de puissance d'un père naïf et absent. Résultat: un beau fruit pourri qui a depuis longtemps pressenti que l'existence était ce qu'il y a de plus futile et de plus ennuyeux. Mais tu n'as pas tout perdu, mon cher père. Il te reste encore ma jeune sœur pour t'apporter de grandes consolations et te faire oublier ma conduite décadente.

RÉGIS — Tu n'as jamais aimé Cybèle... Pourquoi?

TIMOR — Parce qu'elle est tout simplement de trop.

Tu ne l'as pas encore compris? Tu ne l'as jamais compris? Moi, je n'étais pas né pour partager ou être négligé ne fût-ce qu'un instant. Je suis un anthropophage de naissance. Il y a toujours eu en moi cet instinct de vous dévorer, toi et maman. De vous gruger le cœur jusqu'à ce qu'il n'en reste plus rien, afin de vous survivre et de savoir comment aimer. Vous dévorer tous les deux, quitte à vous tuer... Mais Cybèle est intervenue deux ans après moi. Comme une fleur. Parfaite pour son père, troublante pour sa mère jalouse qui ne sut plus du tout si un jour elle perdrait sa place auprès de toi et si elle devait faire semblant d'aimer sa fille au risque de me désespérer. Ce qu'elle ignorait alors, c'est qu'elle te perdrait plutôt aux charmes d'une prostituée connue sous le nom de Myra!

RÉGIS, *montrant son étonnement* — Qui t'a parlé d'elle? Comment peux-tu dire qu'elle est une prostituée?

TIMOR — Une prostituée de vingt-six ans ne peut pas être totalement étrangère au milieu que je fréquente. Comment et où tu l'as rencontrée, je l'ignore. Mais je sais que tu la fais vivre. Qu'elle habite à tes frais une tour résidentielle du centre-ville que tu administres et que tu la vois à tes heures libres qui se prolongent de plus en plus. La petite Myra n'a plus à vivre ses nuits répugnantes et scabreuses, n'a plus à craindre des lendemains d'insécurité et de dépravation, elle est maintenant sur le droit chemin de l'honneur, de la sainteté et du confort. De cette manière, tu es devenu l'absent le plus parfait que je connaisse. Et la maison familiale que tu as construite a été transformée en une fosse commune d'ennui et de frustration. Bientôt, elle ne sera plus que ruine. Elle sent déjà la mort.

RÉGIS — Tu ne sais pas ce qu'est la mort, n'en parle pas.

TIMOR — Oh! Je l'ai pressentie tant de fois! L'idée même de me la donner m'a souvent effleuré. Mais j'étais trop lâche, que veux-tu? Il y a aussi ta force que tu n'as pas pu me transmettre.

RÉGIS — Et pourtant, je te regarde, et jamais je n'ai eu autant l'envie de te parler comme à un homme. Car derrière ton cynisme d'enfant déchu, derrière tes apparences frêles et sinueuses, c'est un homme que je vois se dresser. Un enfant qui parle à son père comme tu le fais, est devenu un homme, même si je trouve sa lucidité effarante et biaisée. Juge-moi, si tu le veux, juge Myra comme tu l'entends, c'est ton droit, et je n'essaierai pas de te convaincre qu'il y a en elle autre chose que ce que tu y as vu, qu'il y a en moi un autre personnage que celui que tu exècres, je ne tenterai pas de me disculper non plus ni de faire appel à des circonstances atténuantes, cela n'existe pas, je suis l'homme que j'ai voulu être et aussi celui que le temps a pétri à son insu. Comme toi, je porte mes gènes et un subconscient vieux de milliers d'années contre lequel je ne peux lutter que lorsqu'il se manifeste, mais je me suis lancé dans plusieurs aventures dans ma vie et aucune d'elles n'a été concluante. Tu connais mon histoire, elle n'est ni plus grande ni plus exemplaire que l'histoire de tous les hommes. Ce que je sais vraiment, Timor, tu comprends, ce que j'essaie de t'apprendre c'est qu'il ne faut jamais s'acharner lorsque l'on se retrouve dans une avenue en cul-de-sac. Il n'y a qu'à tourner le dos aux murs qui se dressent devant soi et recommencer ailleurs, trouver ailleurs de nouvelles voies de secours et se lancer, tête première, dans des entreprises qui apporteront un certain bien-être aux autres. À soi-même aussi bien sûr, mais aux autres avant tout. Tu comprends, Timor?

TIMOR — Oui. D'une certaine manière c'est facile... Mais depuis que j'ai eu quinze ans, mon père Régis sait-il que je n'ai plus envie de lui ressembler?

RÉGIS — Mais qu'est-ce qui s'est donc passé à tes quinze ans?

TIMOR — Rien de très important. Je me suis soudainement rendu à l'évidence que j'étais une petite putain et je suis descendu vers les bas quartiers de la ville.

RÉGIS — Tu fais volte-face, aujourd'hui. Je suis là pour t'aider, pour te donner la main. Je suis là, je ne te laisse plus.

TIMOR — Tu abandonnes tout, même ta maîtresse Myra, pour secourir ton fils raté, efféminé, taré, compromis, et aussi dégoûté que répugnant, toi, mon père Régis, tu fais cela?

RÉGIS — Oui. Demande-toi ce dont tu as besoin.

TIMOR — Je veux tout! Et même davantage. Même ta vie. Il faudrait que tu sois prêt à mourir pour moi... Tu sais, comme lorsque l'on aime, paraît-il que l'on est prêt à mourir pour la personne aimée. Est-ce que tu as déjà éprouvé ce sentiment, toi?

RÉGIS — Oui.

TIMOR — Pour qui? *(Régis hésite.)* Dis-moi pour qui? Ce n'est pas pour moi, hein, ce n'est pas pour moi? Pour un ami de jeunesse peut-être? Pour maman peut-être? Pour Cybèle peut-être? Pour Myra peut-être? Mais pour moi? Pour moi seulement?

Il s'est jeté désespérément à son cou et pleure.

RÉGIS — Oui, Timor, pleure. Pleure et vide ton cœur du mal qui le ronge. Mais je ne peux m'empêcher de t'implorer aussi. Il faut que tu te redresses, que tu regardes la vie en face et que tu te mesures à elle en te disant que chaque homme a droit à sa part de Rédemption.

TIMOR *regarde Régis qui le tient maintenant à bout de bras face à lui et commence à rire en soubresauts mais doucement d'abord* — Oui, papa... Je vais regarder la vie en face et cracher dessus... Oui, papa, et je vais retourner à mes vraies fonctions dans les bas quartiers... Oui, papa... Au fond, je te comprends de baiser une putain... Mais je te comprendrais moins bien de la laisser pour moi...

RÉGIS, *d'une voix forte, voyant Timor qui commence à s'éloigner* — Timor ! Nous n'avons pas fini de nous parler... Attends !... Reste !...

TIMOR — Si, si, nous avons bien fini. Car à quoi servent nos paroles sinon à nous blesser mortellement ?

Il est disparu dans l'ombre.

TROISIÈME TABLEAU

De l'autre côté de la scène est entré Sapo qui ramène l'action au temps présent.

SAPO — Régis !

RÉGIS *l'aperçoit* — Ah ! Sapo.

SAPO — À qui parlais-tu donc ?

RÉGIS — À personne. Il m'est revenu un souvenir de Timor, rien de plus. Il aurait vingt-trois ans aujourd'hui. On t'a fait des difficultés à l'entrée ?

SAPO — Aucune. Comme avocat, j'ai déjà rendu service à Grieve.

RÉGIS — Il se veut mon pire ennemi en ce moment.

SAPO — Il est le chef indiscutable d'un important secteur de la construction et il connaît son pouvoir. Mais sans lui, je serais quand même passé facilement. Parce que je suis survenu en même temps que l'ambulance.

RÉGIS — Quelle ambulance ?

SAPO — Celle que l'on a appelée pour Princesse.

RÉGIS — Ils ont blessé Princesse ? Ils se sont attaqués à elle ? Courrier m'avait pourtant juré qu'il ne lui serait fait aucun mal.

SAPO — Courrier n'était pas sur place quand l'ambulance s'est éloignée.

RÉGIS — Où était-il alors ? Que faisait-il ?

SAPO — Je l'ignore. Vraisemblablement Princesse s'est échappée des mains de Courrier et a couru vers le piquet des enseignants pour les injurier. Ses cris ont provoqué un tumulte. Des ouvriers et des étudiants sont accourus pour voir ce qui se passait. Elle s'est vue tout à coup entourée de centaines de personnes et la panique s'est emparée d'elle et, d'après ce qu'on m'a dit, elle aurait arraché le bâton d'une pancarte des mains d'un enseignant et s'en serait servi pour frapper aveuglément tout autour d'elle. Alors, évidemment, il y a eu des ripostes. Des gifles, des crachats et probablement quelques coups de poing. J'ai vu Princesse alors qu'ils fermaient les portières de l'ambulance. Son visage était couvert de sang et elle me semblait inconsciente.

RÉGIS *se dirige vers le téléphone et décroche* — Quel hôpital, Sapo?

SAPO — J'ai essayé de savoir mais ce fut impossible.

RÉGIS — Et la police?

SAPO — Deux voitures de patrouille sont apparues au moment où l'ambulance était déjà partie.

RÉGIS *raccroche violemment l'écouteur* — Évidemment! Ils attendent que je fasse moi-même appel à l'escouade anti-émeute à un moment crucial pour m'en laisser l'odieux. Et pourquoi pas à l'armée?

SAPO — Ils attendent surtout que tu négocies.

RÉGIS — Que je négocie? Mais Princesse a passé l'après-midi au téléphone pour tenter de rejoindre Grieve et De Guise à leurs centrales. Ils n'y sont jamais. Je suis disponible à toutes négociations, Sapo, mais c'est aberrant de vouloir s'entretenir avec des représentants qui ont choisi comme tactique de jouer à cache-cache.

SAPO — Grieve et De Guise sont dehors, à la tête des piquets. Et j'apporte un message pour toi de la part de Grieve: «Rappelle-lui qu'un «lock-out» est aussi illégal qu'une grève et que je ne le verrai pas tant que les chantiers ne seront pas ouverts».

RÉGIS — Je n'ouvrirai pas les chantiers tant que la situation qui prévalait avant que je ne les ferme ne sera pas fondamentalement changée. Cela je suis prêt à en discuter avec Grieve. Quant à la grève des enseignants et des étudiants, je n'ai encore demandé aucune injonction devant les cours de justice pour la casser et je sais que le gouvernement ne passera pas de loi spéciale. Ses prédécesseurs ont trop souvent utilisé cet expédient pour régler les conflits de travail.

SAPO — Que te disent-ils à Québec?

RÉGIS — Je n'ai pas d'ordre à recevoir de Québec puisque Québec m'a laissé carte blanche et pleine autorité en me remettant Chénier entre les mains. C'est la condition primordiale que j'avais posée. Et maintenant Québec me laisse me débrouiller seul. C'est à moi de jouer, de jeter les bonnes cartes.

SAPO — Je comprends ton attitude devant les enseignants et les élèves mais je m'explique mal que tu aies décrété le «lock-out» sur les chantiers.

RÉGIS — Je ne consentirai jamais à bourrer les poches des délégués syndicaux. J'ai prévenu les architectes qu'ils ne pourraient plus changer les plans en cours de route, sous quelque prétexte que ce soit. Les contracteurs savent aussi que les termes de nos ententes sont précis et qu'ils demeureront inchangés. Ils n'avaient qu'à ne pas faire de combines avec les unions. J'ai décrété le «lock-out» parce que d'aucune part l'on ne semblait prendre au sérieux mes avertissements et le bien-fondé de mes prises de position. Il y a un centre sportif et une nouvelle aile contenant une cafétéria et soixante classes à construire au coût de trente-cinq millions. Trente-cinq millions puisés à même les deniers du peuple. Je me devais de mettre un frein au gaspillage et à la rapine très rapidement. Je n'avais plus le choix.

SAPO — Tu n'avais plus le choix mais viendra le moment où tu seras quand même obligé d'opter pour le compromis ou le chaos.

RÉGIS — Je suivrai ma voie, Sapo. Telle que me la dicte ma conscience.

SAPO — C'est ce qu'ils appellent déjà à l'extérieur du durcissement de ta part, de l'étroitesse de vues, du fascisme éhonté. Pour tous, tu es un homme dépassé par les réalités du siècle.

RÉGIS — Mais oui, bien sûr! Toute autorité légitime est devenue synonyme de fascisme et considérée comme immorale. Mais que la liberté humaine sombre dans l'anarchie la plus absurde et la plus débilitante, cela n'est d'aucune importance puisque le but premier et souvent inavoué de la contestation est d'abord et avant tout de détruire les valeurs existantes quelles qu'elles soient. Comme si nous nous retrouvions devant la première génération d'êtres humains à émerger du déluge!

SAPO — Comment prévois-tu répondre aux réclamations des enseignants?

RÉGIS — Je ne sais pas puisqu'ils n'en ont pas. Dès la rentrée ils n'ont ni compris ni accepté les réformes pédagogiques et disciplinaires que je me devais d'apporter et qui portent principalement sur l'enseignement de la langue, de l'histoire et de la géographie, sur un essor primordial dans le domaine de l'éducation physique, et sur l'interdiction des euphorisants durant les cours et à l'intérieur des murs. Qu'il s'agisse de commerce ou de consommation. Ils prétendent que cela n'est pas de mon ressort puisque cela n'est pas conforme aux normes et au programme scolaire du Ministère. Mais ils feignent d'ignorer que le Ministère a confié la responsabilité du programme scolaire aux commissions. Trois polyvalentes regroupées en une seule, quinze mille élèves dont l'âge varie entre douze et dix-huit ans, sinon vingt, des projets d'agrandissement et de rénovation en cours, et ils brandissent le programme scolaire du Ministère, ils crient au viol des consciences et des libertés. Mort au tyran! Mort à la dictature!... Mais je ne sais absolument rien de ce qu'ils ont à proposer comme valeurs de remplacement par exemple! Nous avons consacré une année entière à mettre de l'ordre dans l'administration et maintenant nous devons nous attaquer aux choses plus sérieuses. Cette institution s'humanisera au niveau de l'enseignement et des connaissances, ceux et celles qui la fréquentent devront aussi bien cultiver leur corps que leur esprit et il n'y aura pas de sabotage dans la construction des nouveaux bâtiments. Tous connaissent la ligne de conduite que je me suis tracée. Maintenant je ne demande pas mieux que de les entendre me dire ce qu'ils comptent positivement faire.

SAPO — Ils vont te laisser t'embourber au niveau des principes jusqu'à ce que tu prennes conscience que d'une façon déguisée ce sont d'abord leurs intérêts qui sont en jeu.

RÉGIS — Quels intérêts ?

SAPO — Matériels ! Tu leur fournis l'occasion rêvée de réclamer de meilleurs traitements.

RÉGIS — C'est pour me faire cette révélation que tu es venu ?

SAPO — Je suis venu parce que tu m'as fait appeler.

RÉGIS — Je ne compte de véritable ami que toi dans ma vie.

SAPO — Et quel rôle cet ami peut-il jouer en ce moment ?

RÉGIS — J'ai cru que tu pourrais me conseiller.

SAPO — Cela peut être possible. Mais il faudrait que nous soyons suffisamment éclairés tous les deux.

RÉGIS — Sur quoi ? Sur qui ?

SAPO — Sur toi-même, Régis. Et sur la raison d'être de cette monstrueuse machine Chénier.

RÉGIS — Tu connais tout de moi. Quant à l'institution, elle est une tentative désespérée du gouvernement de concentrer en quelques super-baraques plusieurs écoles régionales qui se vident progressivement à cause de la dénatalité. La décentralisation se fait au niveau des commissions scolaires qui ont juridiction sur les programmes mais elle est impossible au niveau des bâtiments dont plusieurs seront bientôt recyclés en usines ou en entrepôts et viendront au secours de la main-d'œuvre en chômage. C'est une façon comme une autre de créer provisoirement ou artificiellement des emplois. S'ils n'attirent pas les investisseurs qu'ils cherchent, ils laisseront tomber en ruine les édifices désaffectés ou les démoliront pour créer des terrains vagues. *(Va au téléphone qui sonne ; à Sapo :)* Excuse-moi un moment. C'est peut-être le syndicat des enseignants qui bouge. *(Décroche.)* Allo !

VOIX DE PRINCESSE, *faible, heurtée* — C'est moi, monsieur.

RÉGIS — Princesse ! Qu'est-ce que vous avez fait ?

VOIX DE PRINCESSE — J'ai perdu la tête, monsieur. Je suis allée à eux pour leur dire leur vérité. Vous jugerez sans doute mon geste ridicule et absurde mais dites-vous que je l'ai fait dans un esprit de solidarité pour vous. C'est tout ce que je pouvais.

RÉGIS — Je ne vous demandais pas cela, Princesse. La cause que je défends doit justement se passer de martyre. Dans quel état êtes-vous maintenant ?

VOIX DE PRINCESSE — Rien de grave. L'on m'a bourrée de calmants et passé des radios, et l'on m'en passera de nouvelles bientôt. L'on parle d'une légère commotion cérébrale et je m'en tirerai avec des ecchymoses. Ce sont des brutes...

RÉGIS *la coupe* — Et Courrier ? Il n'a rien fait pour vous protéger ?

VOIX DE PRINCESSE — Une fois à l'extérieur, j'ai profité d'un certain remous de foule pour échapper à sa surveillance. Mais méfiez-vous, méfiez-vous de Courrier, monsieur, et excusez-moi... excusez-moi, je me sens un peu faible...

RÉGIS — Princesse ! Princesse ! Dites-moi de quel hôpital vous me...

Mais il l'interpelle inutilement car elle a raccroché brusquement à l'autre bout du fil. Et Régis doit se résigner à son tour.

RÉGIS — Voilà, Sapo.

SAPO — Ne sois pas étonné s'il y a d'autres victimes. D'une heure à l'autre, la violence...

RÉGIS *le coupe* — Il n'y aura plus de violence.

SAPO — Lorsqu'ils décideront d'envahir les lieux et qu'ils balaieront tout sur leur passage pour arriver jusqu'à toi, tu verras.

RÉGIS — Toutes les dispositions sont prises pour qu'ils viennent à moi sans violence et les chefs des différentes factions le savent.

SAPO — Mais ils attendent que ce soit toi qui ailles à eux et leur patience sera courte !

RÉGIS — Je ne peux pas aller à eux, Sapo. Ce serait perdre l'autorité que je représente. Et sur ce point je ne concèderai rien. Aller à eux signifie me rendre.

SAPO — Et c'est la mort d'un symbole, la fin d'un rêve.

RÉGIS — Chénier est plus que ça. Chénier servira d'exemple au reste de la province, à d'autres institutions de même catégorie et même aux universités. Les maisons d'éducation ne seront plus les laboratoires de la stérilisation massive des jeunes. L'on m'a confié Chénier...

SAPO — Le gouvernement savait que c'était un foyer d'incendie lorsqu'il l'a fait.

RÉGIS — Je n'étais pas sans le savoir non plus.

SAPO — Il cherchait aussi un homme qui ait encore une certaine crédibilité. Comme tu avais déjà assumé avec une poigne de fer la présidence de trois commissions d'éducation, tu étais le candidat tout désigné.

RÉGIS — Je n'ai accepté que lorsqu'ils ont acquiescé à toutes mes conditions. Depuis le ministre des Travaux publics et le ministre de l'Éducation jusqu'au Premier ministre. Ils ont consenti aux budgets que j'ai réclamés, et ils ont placé d'énormes fonds publics sous ma seule gouverne. Avec l'appui et le consentement du Conseil du Trésor. Ce qui ne s'était jamais vu.

SAPO — Et tu y as perçu un signe d'extrême confiance de leur part.

RÉGIS — J'y ai surtout vu toutes les possibilités de créer dans l'État un mouvement irréversible de réforme.

SAPO — Un tel rôle messianique à jouer ne pouvait mieux te convenir. Mais je te répète que maintenant tu es seul à tenter de soigner un beau cancer généralisé. Ils t'ont délégué tous les pouvoirs, Régis, ce qui les justifie de ne pas intervenir et de te laisser patauger dans un merdier sans nom.

RÉGIS — Le Docteur Chénier était seul aussi à Saint-Eustache au moment de l'insurrection. L'histoire n'a pas été généreuse à son égard mais son nom est resté.

SAPO — Tu veux entrer dans la légende, Régis?

RÉGIS — Ce n'est pas ce que j'allais dire. L'institution que je dirige portant son nom, je ne peux m'empêcher en ces heures sombres de songer aux derniers moments de sa vie. Les marchands, les bourgeois, le curé tentent de le dissuader de poursuivre la lutte qu'il a entreprise. Mais Chénier conserve un espoir et rien ne peut plus le faire reculer. Avec sa petite troupe de compagnons fidèles, il est résolu à faire face à l'armée de Colborne. Pourquoi, Sapo?

SAPO — Parce qu'il est désespéré, parce que sa vie est morne. Comme nous, lorsque nous avions vingt ans, il a besoin de servir une cause.

RÉGIS — D'une façon plus précise, il agit comme un grand démocrate. Les représentants élus par le peuple n'ont pas le contrôle des deniers publics manipulés par des mains privilégiées. Les anglophones du Haut-Canada se soulèvent aussi pour les mêmes raisons. Chénier n'a qu'une chance sur cent et il le sait. Mais il prend quand même le risque. S'il triomphe de Colborne et de son armée, le mouvement d'insurrection continuera de suivre son cours dans les régions avoisinantes et les dominateurs seront forcés de plier devant la volonté majoritaire.

SAPO — Et où fais-tu l'analogie entre toi et le héros de Saint-Eustache?

RÉGIS — À deux niveaux: celui d'une prise de position claire et lucide en vue d'une réforme des institutions et celui de l'espoir. De l'espoir de gagner et de servir d'exemple.

SAPO — Mais où est ta petite troupe de compagnons fidèles, prêts à croire en tes idées de réforme et en ton bel espoir?

RÉGIS — Tous les commissaires à l'Éducation des trois comtés m'appuient. Et il y a Courrier et il y a toi.

SAPO — Mais ensemble, formons-nous une force majoritaire?...

RÉGIS — Je te répète que j'ai le mandat d'un gouvernement légitime, librement élu par le peuple.

SAPO — Qui risque de confondre ses idéologies avec celles d'un parti.

RÉGIS — Mais un parti d'hommes nouveaux qui paraissent vouloir d'abord servir le bien du peuple. Nous devons donc travailler de bonne foi à l'épanouissement de la démocratie saine et impitoyable qu'ils veulent instaurer.

SAPO — Tu es paralysé dans ton action, Régis, et tu n'as rien d'autre à faire que d'attendre le déclenchement d'événements contre lesquels tu ne peux rien. Essaie d'être lucide, ne te leurre pas sur les motifs qui te gouvernent. Si tu restes sur tes positions, tu vivras, très bientôt, le pire cauchemar de ta vie.

RÉGIS — Si je pouvais, Sapo, si je pouvais seulement...

SAPO — Si tu pouvais quoi?

RÉGIS — Entrer en contact avec Grieve et avec De Guise, rassembler toutes les factions et leur adresser la parole pour qu'elles comprennent. Mais c'est impensable et peut-être vain. Dès la rentrée, en septembre, j'ai convoqué les élèves et les enseignants par groupes au Pavillon de la Culture. Plusieurs milliers sont venus tour à tour entendre ce que j'avais à leur dire. Ou plus exactement, ils ont accouru pour me juger. Après avoir tenté par tous les moyens de leur communiquer ma foi en la vie et en l'avenir, mon enthousiasme devant de nouveaux projets à réaliser collectivement, devant des défis grisants à relever, et voyant que je n'y parvenais pas ou peu, je les ai invités à me rencontrer, à déléguer leurs représentants aux bureaux de la direction ou dans les salles de réunion. Ils n'ont rien entendu. Il y eut certains remous d'étonnement parmi les jeunes mais qui furent sans suite. Alors je me suis quand même attaqué directement aux réformes qui s'imposaient. J'ai fait parvenir des mémoires et donné des directives à tous les enseignants et aux chefs de chaque discipline ainsi qu'à la Commission pédagogique. Tous mes écrits étaient retrouvés par les femmes de ménage, le soir, dans les paniers à rebuts. De Guise n'est venu qu'une seule fois dans mon bureau. J'ai subi ses insolences et ses provocations sans broncher, après quoi je lui ai laissé savoir qu'il se trompait sur mon attitude et qu'il devait avertir ses confrères de prendre au sérieux les nouvelles orientations de la direction. Il m'a répondu qu'il préconisait et favorisait une liberté totale de penser et d'agir et que la mode était passée depuis longtemps de diriger les consciences des enfants et de leur imposer quelque morale que ce soit. Et il est sorti en me prévenant qu'étant le porte-parole de tous ses confrères, je devais considérer que ceux-ci partageaient évidemment et entièrement ses vues. J'ai répliqué en convoquant la Commission pédagogique à une réunion d'urgence. C'est alors que j'ai vu poindre un certain espoir. Au contraire de ce que m'avait affirmé De Guise, certains participants divergeaient d'opinion et ne semblaient pas le soutenir inconditionnellement. Ils ne formaient qu'un petit nombre bien entendu, mais j'ai tenté de les rallier et avec leur aide de déclencher un mouvement de persuasion contraire. Lorsque la discussion menaça de sombrer dans une violence qui aurait pu dépasser les mots, j'y ai mis fin. Elle avait duré plus de quatre heures. C'est ensuite que les problèmes ont surgi avec les travailleurs du chantier et De Guise a bondi sur l'occasion pour me faire parvenir un ultimatum accompagné d'une pétition. C'était ni plus ni moins qu'une mise en demeure mêlée de chantage et de menaces, m'enjoignant de réviser mes positions et me sommant de laisser s'épanouir sans y mettre d'entraves les courants irréversibles d'identification et de libération dont la jeunesse nouvelle a besoin pour se sentir elle-même responsable de son avenir. J'ai fait parvenir à De Guise, qui ne trouvait plus le temps de me rencontrer, une note brève, dans laquelle je lui signifiais mon intention nette et mûrie de mettre un frein à toute désobéissance du corps enseignant. La situation sur les chantiers s'étant complètement détériorée, De Guise et ses lieutenants ont entraîné tous les professeurs dans un débrayage spontané après s'être assurés que les étudiants les suivraient. Le lendemain, je décidais du « lock-out ». Et depuis déjà dix jours c'est la guerre à Chénier. Tous ne voulaient pas suivre mais tous ont infailliblement suivi pour ne pas être ostracisés. Car depuis la Commission pédagogique, je sais que leur solidarité n'est pas totale mais ceux qui auraient pu pencher de mon côté se sont tus. Ils se rendent sans doute au piquet en silence ou restent chez eux.

SAPO — Il ne reste plus alors que cette seule chance. Que certains éléments fomentent une dissension, car seule la dissension les affaiblirait, et tu pourrais te retrouver dans une situation de force. Il y a peut-être moyen de la provoquer et de détruire leur solidarité.

RÉGIS — Je dois t'avouer que j'y ai pensé mais cela conduirait à la violence. Et au risque de tout perdre, je veux éviter la violence.

SAPO — Même après le traitement qu'ils ont infligé à Princesse ?

RÉGIS — Oui. Et même si je dispose de fonds pour engager des fauteurs de troubles.

SAPO — Alors tu cours à ta perte.

RÉGIS — Je n'en suis pas si sûr. Le gouvernement pourrait, sans intervenir directement, se prononcer et me donner son appui. Et les jeunes comme les intellectuels sont derrière le gouvernement.

SAPO — Logiquement, le gouvernement n'a pas à intervenir et tu ne devrais pas t'attendre à ce qu'il le fasse.

RÉGIS — Je ne m'y attend pas vraiment, Sapo, mais il pourrait arriver qu'il trouve une façon de jeter dans la partie des éléments nouveaux. L'enjeu est trop important.

SAPO — Oui, mais crois-moi, il l'est davantage pour toi que pour les membres du Conseil qui ont d'autres chats à fouetter. Ils en ont plein les bras du problème constitutionnel. Alors toi, ils ne te perçoivent que par le petit bout de la lorgnette.

Par la grande fenêtre qui donne sur le chantier, l'on voit jaillir de hautes flammes dans le ciel

RÉGIS — Qu'est-ce qui se passe Sapo ?

SAPO, *se penche à la fenêtre et regarde* — L'on te brûle en effigie. Tu es encore reconnaissable cependant même s'ils ont jeté de l'essence sur ton mannequin de paille qui se consume très rapidement. Ils sont des milliers tout autour. Les enfants font des rondes. Ils dansent et je crois qu'ils chantent aussi. C'est comme une armée qui porte des pancartes au lieu de fusils.

RÉGIS — C'est le rituel de la tribu.

SAPO — Mais dans leur cœur et dans leur tête, ce sont eux les insurgés, les Chénier de Saint-Eustache, pas toi. Le téléphone est là, Régis, appelle le chef de police de la Communauté, dis-lui que c'est l'état d'urgence, demande l'escouade anti-émeute par mesure de prudence.

RÉGIS — Non, Sapo.

SAPO — Alors fais appel à des éléments de dissension et à des fiers-à-bras. Jette de l'argent dans la mêlée. D'une façon ou d'une autre.

RÉGIS — L'argent dont je pourrais disposer servira à des fins plus constructives. Je ne paierai pas des manigances. Il doit y avoir une autre solution. Il y a sûrement une autre solution, Sapo.

SAPO — Peut-être mais je ne la connais pas.

RÉGIS — Écoute ! Va trouver Grieve et essaie de le convaincre qu'il doit venir me voir. Que je suis prêt à négocier. Quoi exactement ? Je ne le sais pas. Mais je dois le rencontrer et peut-être en arriver à un certain compromis. Si je règle d'abord la question du chantier, j'empêcherai la situation d'empirer et les forces en présence seront peut-être un peu moins inégales. Je veux qu'elles se divisent d'elles-mêmes.

SAPO — Mais si Grieve reste sur ses positions, tu ne seras pas plus avancé.

RÉGIS — S'il apprend que je suis prêt à des compromis il va probablement réfléchir.

SAPO — Il choisira sans doute de te téléphoner pour savoir si tes propositions valent le dérangement. Il se passe tellement de choses au téléphone dans ce genre de conflits sans que personne ne le sache.

RÉGIS — Mon instinct me dit qu'il viendrait.

SAPO *hausse la voix* — Mais qu'est-ce que j'en ai à faire de ton instinct, moi ? Il ne t'avait pas prévenu, ton instinct, au début, que tu te retrouverais enfoncé jusqu'au cou dans ce marécage ?

RÉGIS — C'est tout ce que je te demande, Sapo.

SAPO — Et si je ne réussis pas, en quoi t'aurai-je servi? À faire grandir en toi un sentiment d'impuissance étouffant qui t'écrasera bientôt?

RÉGIS — Je ne suis pas un homme à se laisser écraser.

SAPO — Tu livres un combat désespéré contre le temps et c'est le temps qui t'écrasera. Tu veux Grieve? Je peux te le faire voir. Mais en utilisant les grands moyens qui sont en même temps les plus bas.

RÉGIS — C'est-à-dire?

SAPO — Si tu connaissais son dossier à fond, tu verrais qu'il est vulnérable malgré l'image qu'il crée autour de lui d'un homme puissant, agressif et provocant. Quand tu n'as plus le choix des armes, Régis, tu choisis celles qui te restent. Comme la dernière grenade que tu découvres dans la tranchée et que tu lances désespérément dans un geste ultime pour sauver ta peau. Au risque de me faire de terribles ennemis, je peux t'ouvrir le dossier de Grieve.

RÉGIS — Qu'est-ce que j'y trouverai?

SAPO — Trois condamnations au pénitencier pour des actes criminels, dont deux de complicité dans des cas de meurtre. Vingt-cinq ouvriers immigrés ici, dépouillés de soixante-quinze pour cent de leur salaire pendant six mois par les bons soins de Grieve qui leur avait au préalable trouvé des emplois sur les chantiers de l'Exposition Universelle. Trois enfants et une femme abandonnés par Grieve, et refus de pourvoir. Participation à une agence de corruption de jeunes adolescents. Assauts graves sur la personne d'un ouvrier récalcitrant aux chantiers de la Baie James. Cet ouvrier est réduit à l'impotence pour le reste de ses jours.

RÉGIS — Que fait Grieve en liberté?

SAPO — Il a échappé, Dieu sait comment, à la Commission d'enquête sur les conflits de travail. Il n'a aucune notion de morale humaine; pour lui, la vie est une partie de «poker» qu'il joue en ricanant.

RÉGIS — Et tu me suggères de jouer les mêmes cartes que lui. En ricanant peut-être aussi? Tu m'en crois capable?

SAPO — Tu refuses de créer la dissension chez les professeurs alors il te reste le chantage chez les constructeurs.

RÉGIS — Je ne me servirai pas non plus de cette arme que tu m'offres, Sapo, à ma grande surprise, sur un coussinet de velours rouge. Je te considère toujours comme mon seul ami, Sapo, mais je t'avoue qu'en ce moment tu me fais horreur. Avocat, tu es par définition un homme de justice. Et c'est l'homme de justice que j'ai mandé auprès de moi pour me conseiller, pas un armurier qui me propose un arsenal de forban au cœur pourri.

SAPO — J'ai les deux pieds sur terre et mes chaussures sont lourdes et boueuses. Grieve fait partie de cette race d'hommes qui ont perverti ton fils Timor à l'âge de quinze ans.

RÉGIS — Et cette triste histoire de Timor il la connaît sans doute et il la sortira au moment où je le dénoncerai publiquement.

SAPO — Mais non. En calculant bien, Grieve saura qu'elle ne peut faire le poids contre la sienne. Mais puisque tu refuses d'être réaliste, je te laisse à ta solitude et je m'en veux déjà de l'avoir profanée.

Ils sont tous les deux près de la sortie et, par un déplacement d'éclairage qui les isole, face à face, le côté de la scène qui leur est apposé, se trouve plongé dans l'ombre.

RÉGIS, *à Sapo qui s'apprête à sortir* — Attends! Même si cela ne donne aucun résultat, parle tout de même à Grieve mais évite de jeter dans la balance les événements peu glorieux de sa vie. S'il ne bouge pas, trouve Courrier et allez à De Guise. À deux vous parviendrez peut-être à le diriger vers moi. Qu'il vienne seul ou avec qui il voudra, je crois toujours en des négociations possibles et je pourrai sûrement trouver des concessions à leur accorder.

SAPO — Il est probable que De Guise vienne mais je te crois incapable de troquer quoi que ce soit contre l'essentiel. Est-ce que je me trompe?

RÉGIS — J'aborderai la question d'une hausse possible des traitements. Sur ce point, je suis prêt à leur faire certaines offres.

SAPO — Mais sur l'essentiel, Régis? Sur ce que tu considères comme intouchable?

RÉGIS — Tout se négocie, Sapo. Mais pas l'assassinat de l'enfance, pas la prise en otage des innocents. Il faut que soient respectés dans cette institution, la ferveur de la jeunesse, et le besoin d'absolu qui brûle en elle. Je peux transiger sur tout mais pas sur ça. Pas plus que sur les impôts prélevés chez le peuple et qui ont été déposés entre mes mains. Il n'y en a qu'une part dont je puisse disposer à ma guise si c'est le prix que je doix payer pour une paix durable.

SAPO — Je verrai Grieve, sinon De Guise. J'agirai comme tu l'entends, dans la dignité, avec le légitime «fair-play» dont tu fais montre. Mais, n'entretiens aucune illusion. *(Va se retirer mais se ravise.)* Ta femme est passée au bureau cet après-midi. Elle demande le divorce.

RÉGIS, *après avoir encaissé* — Sa décision était donc irrévocable? Il est vrai que je l'ai beaucoup négligée ces derniers temps. Qui peut la blâmer maintenant? Tu t'en occuperas?

SAPO — Non. Je l'ai référée à quelqu'un d'autre. Je ne peux pas moi-même diviser l'affection que j'éprouve pour vous deux. Bonne veille, Régis. Je t'assisterai du mieux que je le pourrai.

RÉGIS — Merci.

Sapo sort.

QUATRIÈME TABLEAU

Resté seul, un peu hésitant, perdu dans ses projections, ébranlé par la nouvelle que Sapo vient de lui apprendre, Régis va à la grande baie vitrée qui donne sur le chantier de construction. Il n'y a d'éclairage que sur lui avant que dans un faisceau lumineux n'apparaisse Locuste, vingt-quatre ans plus tôt alors qu'elle était jeune femme et qu'elle avait choisi Régis comme guide spirituel. Celui-ci à cette époque était jésuite. Quelques accords de guitare soulignent ce retour en arrière. Locuste a beaucoup de classe et elle est très belle. Elle porte un tailleur noir de coupe très sobre. Sous le gilet, un chemisier à jabot, à encolure et à poignets de dentelle. Sa chevelure blonde est relevée mais sur sa nuque et au-dessus de ses oreilles tombent quelques boucles rebelles et transparentes. La lumière sied bien à son visage gracieux et tourmenté et à son corps souple.

LOCUSTE, *hésitante* — J'aimerais maintenant que vous me disiez...

RÉGIS, *doucement mais sans tourner la tête vers elle* — Quoi donc? Qu'aimeriez-vous que je vous dise, mademoiselle?

LOCUSTE — Si après ces six mois de visites assidues, vous trouvez que j'ai changé moralement.

RÉGIS — Je le crois. Puisque vous ne voyez plus cet homme et que vous l'avez laissé à sa femme et à ses enfants. Mais vous-même, éprouvez-vous le sentiment d'être plus heureuse, Locuste?

LOCUSTE — Bien sûr, mon Père, bien sûr, progressivement et grâce à vous.

RÉGIS *se tourne vers elle, rigide* — Mais non! Grâce à Dieu. Moi, je ne suis que l'instrument de Dieu et je n'obéis qu'à Dieu. Et pour sa plus grande gloire.

LOCUSTE, *émue* — Mais il me semble que quelque chose vous trouble, vous me paraissez même tourmenté. Je ne vous ai jamais vu ainsi.

RÉGIS — C'est la fatigue sans doute. Tous ces cours que j'ai à donner, ces matières pour lesquelles je ne me sens parfois aucune compétence. Mais nous avons de bons collégiens, certains élèves sont brillants. Leur intérêt à l'étude, les longues heures qu'ils y consacrent, le cœur qu'ils y mettent, même si certains d'entre eux négligent quelque peu leur langue et leur histoire...

Sa voix s'étrangle et il n'achève pas.

LOCUSTE, *presque bouleversée* — Mon Père! Qu'avez-vous?

RÉGIS — Ce n'est rien. Je ne suis qu'un jeune prêtre et c'est étrange dans votre bouche lorsque vous dites: Mon Père.

LOCUSTE, *profondément touchée* — J'en suis peut-être à ma dernière visite. J'ai sans doute abusé de votre temps durant ces longs mois. Il ne sera plus nécessaire maintenant que je continue de vous voir et je devrai m'habituer désormais à oublier... ce besoin de me confier à vous. Cette faute en moi qui m'a tellement fait souffrir et...

RÉGIS *la coupe* — Je me demande comment dans l'Infinie Miséricorde de Dieu, toute faute puisse exister.

LOCUSTE — J'ai été coupable d'adultère, mon Père, auprès d'un homme qui me troublait et que je n'aimais pas. Et je commettais une faute grave et vous m'avez aidée à m'en délivrer. Je suis venue à vous aux heures les plus noires de ma vie et vous avez accepté sans jamais vous lasser de me guider. Comment pourrai-je oublier? C'est bien cela qui m'apeure aujourd'hui: comment je m'y prendrai pour vous oublier?

RÉGIS — Une autre vie vous attend à la sortie de ce

parloir. Une autre vie que vous envisagerez avec le regard lucide de vos vingt-deux ans et à laquelle vous vous donnerez sans regret, débarrassée du sentiment accablant de vivre dans l'erreur, avec votre faute, comme vous dites.

LOCUSTE — Oui mais cette heure-ci, mon Père, cette heure présente qui s'achève, comme elle est ardue à traverser!

RÉGIS — Vous veniez chercher ici le courage et c'est tout ce que ma condition de prêtre me permettait de vous offrir. J'aimerais vous en avoir apporté suffisamment pour qu'il vous en reste encore lorsque vous vous en irez.

LOCUSTE — J'aurai ce courage et c'est toujours à vous que je le devrai. Mais ce sera difficile... vous ne pouvez vraiment savoir!

Elle est émue et des larmes effleurent ses yeux.

RÉGIS — Locuste... mademoiselle Locuste, écoutez-moi!

LOCUSTE — Et ce nom, le mien, comme vous le dites bien! Avec une voix faite de plénitude et de bonté.

RÉGIS — Ce sera difficile, oui... Votre âme forgée au feu ardent d'un amour qui brûle en vous et qui menace de consumer votre jeunesse et d'altérer la beauté de vos traits, ne vous rendra jamais la vie facile. Mais vous êtes d'une race qui ne faillit pas.

LOCUSTE — Je ne suis qu'une très faible créature et je me demande avec quels yeux vous voyez cette grandeur en moi. Cette grâce d'exception qui n'existe que parce que vous l'y avez mise. Mais avec quels yeux me voyez-vous donc?

RÉGIS — Avec quels yeux? Je ne sais plus moi-même... Il m'arrive aux cours de littérature d'enseigner à mes élèves que les poètes perçoivent les êtres et les choses au-delà de leurs apparences. Et je leur explique alors qu'ils ont du réel une vision plus globale et que ce que le commun des mortels ne remarque pas au passage représente les vraies dimensions de la vie. Dimensions qui ont des prolongements infinis. C'est l'invisible et l'insondable qui sont la marque de Dieu sur l'existence. Et nous portons Dieu en nous depuis notre naissance jusqu'à la mort, mais trop souvent sans que nous le sachions.

LOCUSTE — Parlez, parlez encore, je vous prie! Avant que je ne prenne congé de vous, je veux vous entendre encore.

RÉGIS — Hélas, mademoiselle, les mots ont leur limite... comme le sacerdoce.

LOCUSTE — Jusqu'à la fin de votre vie, le sacerdoce vous obligera à mettre une muraille de pierre entre vous et les attraits du monde.

RÉGIS — Entre les attraits du monde et moi, il y a Dieu. Je ne suis que le modeste messager de Sa Parole.

LOCUSTE — Oh! non, oh! non, mon Père, Vous êtes beaucoup plus que cela. Vous êtes primordialement un homme. Et s'il n'y avait en vous la constante préoccupation du salut, il se creuserait des brèches dans la muraille et vous iriez vous aussi vers l'amour humain qui peut être aussi grand que l'amour de Dieu.

RÉGIS — Mon sacerdoce, les vœux que j'ai prononcés me l'interdiront à tout jamais.

LOCUSTE — Alors, je crois, et pardonnez-moi si j'ose le dire, je crois du fond de mon âme si belle à vos yeux, que vous ne connaîtrez jamais vraiment le véritable amour des autres et que vous prendrez de plus en plus conscience de votre impuissance à vous rendre au-delà de votre charité que vos chastes vœux ont déjà restreinte.

RÉGIS — Lorsque vous évoquez l'amour des autres, est-ce de vous que vous parlez?

Ils se regardent. Elle se tait un moment.

LOCUSTE — Il brûle en moi un tel désir de m'approcher très près de vous et de vous dire : Régis, je vous aime.

Et c'est ce qu'elle fait. Elle s'est approchée de lui.

RÉGIS — Pourquoi Dieu ne m'a-t-il pas évité cette heure ? Pourquoi ne m'a-t-il pas épargné de faire un jour votre rencontre ?

LOCUSTE — Parce que Dieu veut le salut de mon âme et que vous l'acceptiez ou non, vous ne pourrez jamais affirmer avec certitude que ce n'est pas votre vraie mission, au risque de vous damner.

RÉGIS — Savez-vous à quel point vous pouvez être cruelle et dans quelle situation désespérante vous me jetez ?

LOCUSTE — Je le sais, oui. Mais je ne peux éteindre la flamme qui me dévore et vous le concevez mieux que quiconque parce que vous voyez à travers moi, au-delà de moi... Il ne me reste plus qu'une chose à vous demander.

RÉGIS — Dites.

LOCUSTE — La permission de vous revoir... une toute dernière fois.

RÉGIS — Cette dernière fois qui sera encore plus dangereuse que celle-ci ?

LOCUSTE — Oui. Je reviendrai vous voir une dernière fois. Pour mon salut et pour votre perte.

Et elle se dissout dans l'ombre.

CINQUIÈME TABLEAU

La sonnerie du téléphone ramène Régis dans l'actualité du drame. Il accélère le pas pour décrocher l'appareil.

RÉGIS, *précipitamment* — Oui, c'est moi.

VOIX DE LOCUSTE, *qui n'est plus celle d'une jeune fille mais d'une femme qui a vécu* — Bonsoir, Régis. J'imagine que tu es au courant de la nouvelle.

RÉGIS, *un peu déçu que ce ne soit pas Grieve ou De Guise* — Oui... Sapo m'a dit tout à l'heure. Je ne m'objecte plus à ta décision de divorcer.

VOIX DE LOCUSTE — Il ne s'agit pas de cela, Régis.

RÉGIS, *inquiet* — Il n'est rien arrivé à Cybèle?

VOIX DE LOCUSTE — Mais non, ne t'inquiète pas pour elle. Il s'agit de Princesse.

RÉGIS — Je voulais justement appeler le chef de police pour savoir au moins dans quel hôpital elle se trouve.

VOIX DE LOCUSTE — Ne te donne pas cette peine, Régis. Princesse est morte, la radio vient de le confirmer. *(Attend une réaction de Régis qui ne vient pas.)* Régis! Tu es toujours là?

RÉGIS — Merci de m'avoir prévenu, Locuste. Je suis coupé du monde ici.

VOIX DE LOCUSTE — C'est ainsi que tu as toujours voulu ta vie. Pas de radio, pas de télévision, pas de journaux. Seul avec toi-même. Et tes grandes idées, et tes belles illusions. Qu'importe si les autres en crèvent. Même ton fils!

RÉGIS — Je t'en prie, Locuste. Si je dois être responsable de la mort de Princesse et en souffrir, je serai responsable et je souffrirai. Comme pour Timor.

VOIX DE LOCUSTE — Tu es toujours prêt à tout assumer, c'est vrai, mais tu ne ressuscites personne. Tu es hanté par la tentation du miracle. Si seulement tu te contentais de vivre et d'être heureux, tu ferais beaucoup plus pour les autres. Cela, ta maîtresse Myra ne te l'a jamais dit ?

RÉGIS — Ne recommençons pas sur ce sujet. Il est usé. Je te remercie, Locuste, de m'avoir mis au courant.

VOIX DE LOCUSTE — Reviens à la maison, tu n'as plus rien à gagner dans cette partie qui a déjà fait sa première victime. Ici, tu retrouverais ta Cybèle. Et pour les procédures de divorce, je suis encore prête à attendre.

RÉGIS — Il est trop tard, tu le sais bien, les événements doivent suivre leur cours.

VOIX DE LOCUSTE — Mais je t'aime encore, Régis. Je t'aime au-dessus de tout et malgré toi-même.

RÉGIS — Moi aussi, je t'ai déjà aimée plus que tout au monde. Mais nous ne pouvons éviter que certaines choses et que des êtres qui nous sont chers meurent. Ce serait cela le seul miracle souhaitable : résoudre l'énigme de toutes ces morts, Locuste. Même ceux qui manipulent la vie sont aussi manipulés par un destin qui leur broiera les os et l'âme un jour... Bonne soirée, Locuste.

VOIX DE LOCUSTE — Alors, reste seul à tout jamais ! Et lorsque Myra t'aura quitté, sois certain d'une chose : tu ne me retrouveras plus.

L'on entend le bruit de l'écouteur que Locuste raccroche violemment. Régis raccroche lui aussi mais en montrant une certaine fatigue. Quelques accords de guitare et nous sommes de nouveau retournés dans le passé, quelques années plus tôt. Sous un réflecteur ambre paraît Myra à gauche de la scène alors qu'elle avait vingt-six ans. Elle est très belle et farouche. Provocante. Une épaisse chevelure en bataille. Elle ne porte qu'un soutien-gorge léger et fleuri et un jupon de même style.

MYRA, *agressive* — Pourquoi restes-tu là à ne rien faire ?

RÉGIS, *comme s'il pénétrait difficilement dans son souvenir* — Hein ? Pardon ?

MYRA, *sur le même ton que précédemment* — Pourquoi restes-tu là à ne rien faire ?

RÉGIS, *qui revit à fond la scène* — Je ne suis pas venu chez toi pour agir comme les autres.

MYRA — Alors, pourquoi es-tu venu ? Puisque tu sais d'avance que tu auras à payer le même prix que les autres ?

RÉGIS — Je paierai le prix qu'ont payé les autres mais je ne suis pas là avec leurs mêmes intentions.

MYRA — L'on m'a déjà dit des mots semblables, mais l'on finissait toujours la nuit dans ma couchette. Et le lendemain, à l'aube : « Au revoir, c'était agréable, inoubliable, j'ai ton numéro, je te rappellerai. »

RÉGIS, *fermé* — Écoute-moi, Myra.

MYRA — Je ne fais que ça depuis deux heures. Tu me parles de ta vie et tu essaies d'en savoir plus long sur la mienne. Maintenant le moment est venu d'agir, monsieur Régis. En venant chez moi, tu savais qui j'étais, à quoi d'autre t'attendais-tu qu'au seul amour de routine que je puisse te donner ?

RÉGIS — L'on ne fait pas l'amour par routine.

MYRA — Cela ne t'est jamais arrivé ?

RÉGIS — Jamais.

MYRA — Comme tu mens bien ! Et si je n'avais pas six années de métier dans le corps, je crois que je me laisserais aller à te croire. Mais les hommes sont tous semblables. Et les femmes aussi. Nous attendons de la vie qu'elle nous rende beaux, jusqu'à la nuit où nous découvrons que nous sommes des cochons. Viens, suis-moi dans ma chambre maintenant, il y a longtemps que tu tournes autour du pot.

RÉGIS — Dans ces conditions, je te paierai et je partirai sans t'avoir prise.

MYRA — Pourquoi me repousses-tu et pourquoi m'avoir fait perdre tout ce temps? Tu ne me trouves pas belle, je ne suis pas désirable? Qu'est-ce qu'il te faut? La fée des étoiles?

RÉGIS — Il me faut te connaître, c'est d'abord ce désir profond que j'éprouve. Tu es toi-même me diras-tu, et tu ne souhaites rien d'autre mais cela ne me satisfait pas. Il faut aussi que tu deviennes ce que tu es vraiment.

MYRA — Cela est fait, mon chéri, cela est fait depuis longtemps, je sais parfaitement qui je suis. Et je suis devenue ce que j'étais déjà depuis toujours. Pour ce qui est de me connaître, viens dans mon lit, c'est le seul endroit au monde où tu sauras à quoi t'en tenir à mon sujet. Les préparatifs d'abord, l'extase ensuite, et la chute pour finir.

RÉGIS — Je suis marié, père de deux enfants, mais si je t'aime cette nuit, tu seras pour moi une nouvelle épouse. C'est ainsi l'amour, cela ne se partage pas, ne se divise pas au gré des occasions. C'est un engagement, une vocation, un sacerdoce. Si tu es à moi, Myra, une seule nuit, tu seras à moi pour toujours.

MYRA — Mais tu es un poète!

RÉGIS — Je ne suis pas un poète, je suis un bâtisseur de cathédrales.

MYRA *éclate de rire* — Celle-là, je ne l'ai jamais entendue. Mais j'en ai entendu bien d'autres. Il y avait un musicien. Il est venu quelques fois. Il m'apportait des anémones ou des roses rouges. Et parce que je m'appelle Myra, il disait que je ne pouvais pas être autre chose qu'un rêve ou qu'un mirage. Il chantonnait des airs de musique avant de commettre la chose. Il me parlait comme si j'étais une hirondelle, un nuage. Mais une fois au lit, il me traitait comme une truie.

Régis s'avance près d'elle, lui saisit les bras et la regarde bien fixement dans les yeux.

RÉGIS, *après un temps* — Dans l'armée, pendant la guerre, j'ai vu des pelotons de trente hommes passer sur la même fille à tour de rôle. Ensuite ils en faisaient une histoire de caserne, un sujet de risée et de mépris. Et je les regardais, et les écoutais et j'avais des haut-le-cœur. Je les trouvais vils, repoussants. Ils n'étaient que des rats, que des cloportes. Et chaque fois j'aimais cette fille à qui ils avaient pris leur triste joie, et chaque fois je considérais cette fille comme une rédemption, comme une fleur jaillie de la détresse humaine, comme une sainte qui écarte ses cuisses pour satisfaire les orgueils malades d'une troupe de mâles fatigués de se masturber et à qui tout est dû parce qu'ils croient défendre la Justice du Monde... Je ne t'aimerai qu'à une condition, Myra.

MYRA — On ne pose pas de condition avec moi. Une fois le prix marchandé.

RÉGIS — Je ne t'aimerai quand même qu'à une condition.

MYRA — Laquelle?

RÉGIS — Que toi aussi tu m'aimes avec la même ardeur que j'y mettrai. Parce que je t'aime, Myra, et pas comme une prostituée. Mais je paierai quand même le prix parce que je sais que tu en as besoin.

Elle se presse contre lui et ses yeux sont couverts de larmes.

MYRA — Et qu'est-ce que je ferai après, hein? Qu'est-ce que je deviendrai, si je t'aime?

RÉGIS — Je ne sais pas. Je n'ai jamais dormi avec une prostituée. Mais je tiens à préserver l'honneur des hommes et si je t'aime, ce sera dans une continuité difficile, ce sera pour te guider hors d'un monde effroyablement sordide où les filles et les femmes ne sont que des marchandises, que des ventres à prix réduits.

MYRA — Si tu me mens, toi, si toi tu me mens, je crois que je te tuerai.

RÉGIS — Je ne te connais pas. Je te presse contre moi, mais je ne te connais pas. Mais quand je te connaîtrai au sens où tu l'entends, je n'aurai plus la moindre occasion de manquer à mon amour.

MYRA — Je ne pleure jamais, moi! C'est vrai, je ne pleure jamais d'habitude. Pourquoi est-ce que je pleure en ce moment?

RÉGIS — Le sel de nos larmes émerge du fond de nos êtres. Nous nous sommes rencontrés. Je ne l'aurais pas voulu. Mais nous nous sommes rencontrés et je vais t'aimer maintenant.

MYRA — Oh! oui, viens. Viens, mon amour. Je me sens perdue mais je suis certaine que tu me retrouveras.

Elle l'entraîne. Il fait quelques pas avec elle puis s'arrête, étant appelé par un autre souvenir qui cette fois lui fait des signes à droite. Il s'agit de Timor venu lui réclamer sa part d'héritage avant l'heure. Il semble agité de prime abord et malgré ses efforts pour se décontracter il y parvient difficilement ou pas du tout. Myra, elle, s'est dissoute dans l'ombre. La scène qui va se passer a eu lieu il y a dix-huit mois. Quelques accords de guitare l'amène.

TIMOR — Tu ne me retrouveras plus sur ton chemin cher père. Car je prends aujourd'hui des décisions d'une importance capitale.

RÉGIS — Tu as de nouveaux projets, Timor?

TIMOR — Oui. Comme toi d'ailleurs.

RÉGIS — Comment sais-tu?

TIMOR — Tu n'ignores pas que j'ai mes entrées dans tous les milieux et que les nouvelles se répandent d'abord dans les ténèbres avant d'éclore au grand jour. Et comme je suis fils des ténèbres...

RÉGIS — Québec m'a fait une offre que je n'ai pas encore acceptée.
TIMOR — Mais tu as déjà liquidé ton entreprise en valeurs immobilières. Cela est un signe. Tes affaires étaient pourtant florissantes ! Comme lorsque tu étais dans les importations. Mon honorable père siège désormais sur une commission d'Éducation à titre de président et se prépare en plus à diriger les destinées d'une grande institution. Il trouve toujours une noble cause à laquelle se consacrer, derrière laquelle il voile la culpabilité qui le ronge.
RÉGIS — Je n'ai pas à me justifier d'être avant tout un homme d'action.
TIMOR — Bon, très bien. Passons maintenant aux affaires sérieuses.
RÉGIS — Mais nous y sommes aux affaires sérieuses.
TIMOR — Je voulais dire plus terre à terre, d'ordre plus pratique.
RÉGIS — Ce sera combien cette fois-ci ?
TIMOR — Ce sera beaucoup, ce sera le gros lot, l'héritage, quoi ! Ensuite ni vu ni connu, jamais plus tu n'entendras parler de moi. Et puis cela, c'est promis, hein ! Je ne te ferai pas le coup de l'enfant prodigue, « tuez le veau gras » et la grande fête de famille, avec l'argenterie bien astiquée et le reste. J'ai pris la décision de foutre le camp pour toujours.
RÉGIS — Pourquoi ?
TIMOR — Je n'ai plus d'avenir ici. J'ai joué dangereusement et le prix de ma peau est déjà fixé. Et tu ne peux pas refuser ce que je te demande, tu le sais.
RÉGIS — Et pourquoi je ne le pourrais pas ? Et d'abord combien me demandes-tu ?
TIMOR — Je te l'ai dit : mon héritage. Je suis ton fils légitime et tu te doutes bien que je ne te survivrai pas. Alors fais-moi profiter de ta fortune de ton vivant. Je suis pressé. Je pars dans deux jours pour Taormina avec mon associé Gino.
RÉGIS — Pour y faire quoi ?

TIMOR — La grande vie d'abord et ensuite je verrai. Mais pour ne pas avoir d'ennuis avant de partir je dois renflouer des concurrents agressifs qui prétendent que je leur ai causé des torts. Comme je ne tiens pas à ce qu'ils me suivent en Italie, je vais les apaiser d'abord et disparaître ensuite.

RÉGIS — Il n'y a pas d'autres solutions?

TIMOR, *féroce* — Non! Tu me verses ma part d'héritage sinon je mets toute la presse jaune de la province sur la piste de Myra. Et sur ma propre piste, oui! Et tu sais d'avance que ce sera la fin d'un autre de tes rêves. À un autre grand homme la future direction générale de la future super-polyvalente Chénier. Tu sais, même si le genre humain est de plus en plus amoral, une réputation ça compte encore beaucoup. Et ça se défait si facilement.

RÉGIS *s'approche très lentement de Timor et le fixe droit dans les yeux avec une étrange douceur* — Tu sais, Timor, ce ne sont ni tes arguments de petit criminel traqué ni tes inqualifiables menaces de chantage qui pèseront sur ma décision, ce n'est plus qu'une seule chose, qu'une seule pauvre et petite chose qui vient de naître en moi pour la première fois à ton égard et cette petite chose navrante que j'éprouve s'appelle la pitié.

TIMOR *crie* — Mais ce n'est pas ce que je suis venu te demander!

RÉGIS — Je sais! Ce n'est que de l'argent. De l'argent que j'aurais pu t'offrir, te donner avec l'espoir que tu en fasses quelque chose de valable, quelque chose qui t'aurait permis de partir très loin, d'oublier ton passé, de te refaire une jeunesse, celle qui n'était pas encore morte en toi hier, de prendre possession d'un coin de terre, d'une maison, d'un abri et d'y faire germer un rêve, de rendre concrète une ambition d'homme à la mesure d'une merveilleuse enfance que tu as tuée en toi. Mais le fond de ton regard est vide comme un tombeau et ce n'est plus que par pitié que j'agirai maintenant. Ce sera combien? Combien te faut-il pour disparaître à jamais? Pour que ton nom même soit effacé pour toujours de mon testament, des dernières volontés qui seront miennes un jour?

TIMOR — Je savais d'avance que tu me servirais ce genre de coup bas. Je m'y étais même préparé et ce que tu cherches à atteindre en moi depuis toujours ne s'y trouve plus. Je me suis enrôlé volontairement et en toute conscience dans la légion des âmes mortes et des cœurs de pierre. Et tu as remarqué? Tu as remarqué? Je l'ai encaissé ton coup bas et je n'ai pas bronché. Tu es fort, papa, tu es très fort et par tes seules paroles tu peux ébranler les plus endurcis. Mais pas moi. Pas moi! Je veux que tu le saches. Aujourd'hui je deviens aussi puissant que toi. Parce que je te tiens dans ma main.

RÉGIS — Ce sera combien? Je n'aime pas les notes qui traînent. Et celle-ci particulièrement, je tiens à la régler le plus vite possible et qu'il ne soit plus question de quoi que ce soit entre nous. Ce sera combien, Timor?

TIMOR — Ce sera cinquante mille dollars... en espèces. Et ce n'est pas beaucoup pour te débarrasser à tout jamais du fardeau que je t'ai fait porter depuis vingt ans.

RÉGIS — Ce sera beaucoup. Car même si j'ai réussi en affaires, je ne suis pas un homme qui ait jamais songé à accumuler. Ce sera beaucoup mais puisque c'est ton prix, tu auras tes cinquante mille dollars cet après-midi. Tu me rencontreras à la banque à deux heures trente précises. J'aurai fait le nécessaire. Maintenant va-t'en. Il ne te restera plus qu'à racheter ta peau pour le prix qu'elle vaut et qu'à gaspiller le reste de ta vie ailleurs.

TIMOR — C'est toi qui as fait de moi ce que je suis.

RÉGIS — Cela, je le nierai toute ma vie.

TIMOR — Et ce ne sera pas la seule évidence que tu

auras niée et il y en aura d'autres encore que tu nieras... Je m'en vais et je me passe de ta pitié. *(Crie.)* À tout jamais!

Et il sort. Nouveaux accords de guitare saccadés et Locuste, vêtue de deuil, paraît sous un réflecteur à gauche. Cette scène s'est passée quelques jours après la précédente. Locuste n'a pas encore quarante-quatre ans et elle est restée belle et fière. Le temps a toutefois quelque peu marqué ses traits en les durcissant.

LOCUSTE — Maintenant, ils l'ont enfoui dans la terre comme un mort, véritablement mort, au commencement de sa vingt-deuxième année, le corps perforé de treize coups de glaive et la gorge tranchée. Maintenant la journée funeste est passée et les étoiles tremblent dans le ciel. Comme c'est inutilement beau!... Il repose enfin dans la fosse de ta famille, avec un demi-sourire au coin des lèvres qui marquait jadis les tiennes... Repose-toi, Timor. Ta mère est là qui veille sur tes restes et ton père est muet. Il t'oubliera un jour, car son destin est de ne rien retenir de ce qui ne l'éblouit plus au loin. Il se dit un homme d'action mais son action est dangereuse pour ceux qui vivent dans son sillage... Tu lisais «Lorenzaccio» à douze ans, Timor, et tu ne retenais que cette phrase: «J'étais pur comme un lys et pourtant...» Et pourtant tu es allé vers la vie comme un ange, avec la pureté de tes douze ans. Tu étais beau comme un prince et tu ne composais pas avec les gens, comme ton père. Dors mon amour, repose-toi de tes misères d'enfant. Je t'ai aimé jusqu'à ce jour et je t'aimerai le reste de ma vie. Si tu n'as pas connu ton père c'est qu'il était occupé ailleurs. Ton père est l'homme des pays indicibles que l'on n'aborde que si l'on a son sang. Mais il faut croire que tu n'avais que le mien et que ma soif d'évasion et d'éternité t'a été transmise depuis le commencement de ma maternité et de ton âge... Repose-toi, Timor, dors sur mon sein et dans ton sang, tu as cru en tes nuages comme d'autres croient en des adages. Tu es là, déchiré, mutilé, méconnaissable, et ton père, avec ses cinquante mille dollars se croit libéré... Il n'en est rien, Timor, tu aurais dû exiger autre chose de lui. Exiger qu'il te soutienne. Exiger qu'il te ramène de gré ou de force au foyer qu'il n'a jamais peuplé. Tu aurais dû exiger de lui qu'il s'oublie et qu'il aille avec toi risquer sa vie dans les bas quartiers pour sauver la tienne au risque d'y laisser sa peau... Tu étais beau, tu étais « pur comme un lys », tu n'avais rien à envier aux garçons de ton âge mais il aurait fallu que quelqu'un, quelque part, soit, dans toutes les circonstances, exemplaire pour toi. Mais ton père pourchassait des idéaux d'autrefois, mais ton père croyait encore en Athènes, en Rome et en Paris qui l'ont fait naître.

Après un long silence.

RÉGIS — Ce n'est pas Athènes, ni Rome, ni Paris qui m'ont formé mais toute l'histoire de l'Occident et celle de mon pays... Nous venons d'enterrer Timor, notre premier enfant, mais par qui a-t-il été liquidé, Locuste?

LOCUSTE — Par toi et ta pitié de cinquante mille dollars.

RÉGIS — Non.

LOCUSTE — Par ton idéal et ton intransigeance.

RÉGIS — Non.

LOCUSTE — Par qui alors? Dis-le moi, par qui?

RÉGIS — Par Gino, son associé. Par celui avec qui il vivait depuis deux ans... Timor était à sa façon un homme engagé qui ne pouvait plus s'en sortir. Il n'y avait plus chez lui qu'un seul espoir et c'était l'espoir d'un enfant de douze ans qui croit pouvoir échapper à son destin... Le cimetière est maintenant derrière nous et il nous reste Cybèle.

LOCUSTE — Et Myra! Il faudra que tu t'occupes de Myra aussi.
RÉGIS — Il faudra surtout que je m'occupe de notre fille.
LOCUSTE — Cybèle n'a pas plus besoin de toi qu'elle n'a besoin de moi. Timor était seul au monde et tu n'as rien fait pour lui épargner cette fin tragique.
RÉGIS — Locuste! Je te hais quand tu parles ainsi. Et cela ne m'était pourtant jamais arrivé.
LOCUSTE — Moi aussi, je te hais.
RÉGIS — Pourquoi n'as-tu jamais vraiment aimé Cybèle?
LOCUSTE — Et toi, pourquoi n'as-tu jamais vraiment aimé ton fils? Parce qu'il était le fruit de notre amour coupable? Cybèle, c'était autre chose. Tu avais fait ton apprentissage avec Timor. Cybèle pouvait venir puisque tu avais usé ta culpabilité sur Timor qui ne fut pour toi qu'un cobaye d'enfant.
RÉGIS — Ne me reproche pas l'amour que j'éprouve pour ma fille.
LOCUSTE — Ah, non! Je te reproche seulement de ne pas avoir su faire un homme de Timor!
RÉGIS — Mais tu prenais tout de lui et qu'est-ce qu'il me restait?
LOCUSTE — Nous n'allons nulle part, Régis, qu'à la barre des accusés et pourquoi continuer? Ne sommes-nous pas tous les deux coupables?
RÉGIS — Je suis sorti des Ordres pour toi. Parce que je t'aimais plus que Dieu, parce que tu n'étais plus que le seul pôle vers lequel je pouvais tendre. Je suis sorti des Ordres en sachant même que Dieu ne me le pardonnerait jamais.
LOCUSTE — Voilà ce que toi-même tu n'as jamais pardonné à Timor...
RÉGIS — À quoi bon ressasser des cendres? Nous ne ressusciterons personne en nous acharnant ainsi.
LOCUSTE — Non. Tu demeures ce que tu as toujours été: un défroqué. Un défroqué de l'armée, un défro-

qué des Ordres, un défroqué du monde des affaires et un défroqué de la vie conjugale. Tu jugeais ton fils et lui aussi te jugeait. Il a eu le temps, avant cette soirée tragique, de me raconter de quelle manière tu l'avais balayé de ta vie. Avant même qu'il ne soit retrouvé baignant dans son sang, il était déjà condamné, il était déjà mort.

RÉGIS — Je n'ai plus qu'à me taire, Locuste, puisque toi aussi tu m'as jugé pour toujours. Et je ne vois pas comment nous allons pouvoir continuer à vivre ensemble.

LOCUSTE — Nous n'aurions qu'à faire semblant. J'y suis habituée, depuis que tu as fait la connaissance de Myra. J'y suis habituée mais sans l'avoir vraiment accepté.

RÉGIS — Nous ne pourrons plus faire semblant longtemps. J'ai trop aimé les situations claires dans ma vie pour accepter que nous partagions une existence trouble.

LOCUSTE — Et alors qui gardera Cybèle ? Qui se chargera d'elle ? Tu es prêt à la perdre, à ne la voir qu'en de rares occasions pour prolonger ton aventure avec Myra ? Je veux que tu le saches bien, Régis, je te préviens en pesant chaque mot : j'irai devant les cours de justice et mes procureurs seront chargés d'accuser ta maîtresse Myra de me ravir l'affection légitime de mon mari. Tu en subiras les conséquences, et tu perdras Cybèle.

RÉGIS — Je suis déjà disposé à perdre ce que tu veux m'arracher, et sans me défendre.

LOCUSTE — Même ta fille ?

RÉGIS — Même ma fille.

LOCUSTE — Pour une prostituée !

RÉGIS — Myra n'est plus une prostituée.

LOCUSTE — L'ange du salut est passé par là, je sais.

RÉGIS — Je ne suis pas l'ange du salut. Je ne suis qu'un homme qui n'a jamais su partager son amour.

Il y a eu Dieu, ensuite il y a eu toi. Maintenant c'est Myra, jusqu'à la fin de mes jours.

LOCUSTE — Tout est clair. Je pense qu'après ce deuil, nous devrions nous éloigner l'un de l'autre un certain temps pour que je puisse retrouver quelque apaisement et prendre ma décision en ce qui nous concerne.

RÉGIS — Tu m'avais dit ce jour-là: « Je reviendrai vous voir une dernière fois. Pour mon salut et pour votre perte. »

LOCUSTE — Et où est mon salut? Je vous demande aujourd'hui, mon Père: où est mon salut?... Tous les deux nous avons, chacun à sa manière, sacrifié Timor qui était le symbole vivant de notre faute et maintenant où se trouve-t-il, le salut que l'amour semblait nous promettre?... *(Les yeux rouges de larmes.)* Nulle part en cette vie! *(Et elle se dissout dans les ténèbres.)*

Régis reste plongé dans le passé et nous allons le retrouver chez Myra le soir de l'enterrement de Timor. Sombres notes de musique égrenées dans la nuit. Myra paraît à droite dans un éclairage diffus et est vêtue d'une longue robe de nuit blanche. Lentement, avec une tendresse émue, elle tend les bras à Régis qui se rapproche d'elle.

MYRA — Tu es venu quand même après cette épouvantable journée?

RÉGIS *la serre dans ses bras* — Je n'avais qu'un fils et il était pourri.

MYRA, *étonnée* — Tu n'as jamais parlé de lui ainsi.

RÉGIS — Il était pourri jusqu'au fond de ses abîmes. Et ma femme me fait porter la responsabilité de sa mort. Alors je le maudis doublement! Elle l'avait dressé contre moi. Inconsciemment bien sûr mais pendant vingt ans. Aujourd'hui elle a tout tenté pour projeter sur moi sa culpabilité de bête aimante et dévoreuse. Selon elle, Timor n'a été que le martyr sacrifié de mon indifférence et de mes ambitions. Mais il n'était qu'une irrécupérable petite vermine.

MYRA — Calme-toi, Régis. Tu dois être profondément atteint pour le juger aussi cruellement. *(Et elle s'écarte de lui.)*

RÉGIS — Il n'était qu'une fille, une minable petite putain!

MYRA — C'est devant moi que tu dis cela!

RÉGIS — Excuse-moi. C'est à ma femme seulement que j'aurais dû faire part de mon ressentiment. *(Il veut la reprendre dans ses bras mais elle le repousse.)*

MYRA — Ne me touche plus!... Tu oublies, Régis, que moi aussi je n'étais qu'une fille pourrie, qu'une misérable petite putain!

RÉGIS — Tu t'étais égarée et tu avais des raisons pour vivre dans l'égarement.

MYRA — Timor aussi sans doute. Il avait lui aussi ses motifs, mais ils devaient être autrement plus ancrés que les miens puisqu'il a toujours été incapable de les dire.

RÉGIS — Je ne sais plus très bien ce que je fais ni ce que je dois penser ce soir.

MYRA — Tu me déçois terriblement. C'est la première fois que tu me déçois. Et tu n'as pas le droit de me décevoir, jamais!

RÉGIS — Si tu savais seulement, mon amour, si tu savais à quel point je me sens mortifié et impuissant devant cette mort! Pourquoi n'ai-je pas été capable de le tirer de sa longue saison en enfer, de lui créer près de moi un jardin d'amour qui lui eût permis de survivre à sa désespérance de jeune garçon? J'ai souvent souhaité qu'il ait droit lui aussi à de clairs matins semblables aux premiers du monde, lorsque la vie n'est pas encore compromise et que l'on a une envie folle et dévorante de l'étreindre dans toute sa beauté et sa pureté. Il n'y avait jamais de matins pour Timor, toujours que des nuits et des aubes à faire vomir.

MYRA — Tu n'as qu'un seul défaut, tu sais, Régis...

RÉGIS — Je n'ai pas voulu te faire cette peine tout à l'heure...

MYRA — Tu es l'homme le plus admirable qui ait jamais traversé ma vie mais tu as un grand défaut...

RÉGIS — C'est le mal que j'éprouve, qui m'a mis dans la bouche ces mots d'une méchanceté dérisoire. Il faut être très faible pour accabler ainsi la mémoire encore fraîche d'un enfant disparu.

MYRA — Tu m'as mise au monde, tu m'as créée, tu m'as fait voir de grandes nuits étoilées que je ne savais pas, tu as mis en moi la chaleur du soleil, tu m'as fait découvrir la beauté des saisons, mais tu n'es pas le bon Dieu et c'est pour cela que tu as un très vilain défaut...

RÉGIS — J'ai tous les défauts de tous les hommes.

MYRA — Non, tu n'en as qu'un seul, tu es monstrueusement orgueilleux. Oui monstrueusement orgueilleux, et sans le savoir, ta volonté de vouloir avant tout le bien des autres, t'amènera un jour à détruire beaucoup si tu ne prends pas garde.

RÉGIS — Est-ce de la folie, Myra, dis-le moi toi qui comprends et qui sais tant de choses ?

MYRA — Ce serait plutôt comme un besoin démesuré que tu as de te racheter. Et si tu n'agissais pas de cette façon, tu ferais toi aussi comme ton fils Timor, tu irais au-devant de ta mort.

RÉGIS, *perdu* — Myra !

MYRA *lui ouvre les bras* — Oui, viens maintenant. Viens que je t'apprenne enfin à oublier. Pour la première nuit de notre amour, je sens que tu as besoin de moi et que je peux vraiment t'apporter quelque chose... Je l'ai attendu longtemps, tu sais, ce moment, cette heure où je te verrais, faible et malheureux, te blottir dans mes bras comme un enfant qui refuse de pleurer parce qu'il ne se le pardonnerait jamais.

Ils s'étreignent et la nuit totale se fait sur eux. Quelques accords de guitare.

SIXIÈME TABLEAU

Le souvenir de Myra s'est dissipé. Courrier est là maintenant, dans l'actualité du drame qui suit son cours. Et tout de suite, Régis l'aperçoit et se raidit.

RÉGIS — Je t'avais confié Princesse.

COURRIER — Oui, Régis, mais...

RÉGIS — Et dès lors il devenait plus important que tout que tu la protèges au péril de ta propre vie.

COURRIER — Je ne connais aucun homme qui aurait pu la retenir. Elle s'est jetée parmi les loups comme une proie qui s'offre, et la meute s'est refermée sur elle. Je n'y pouvais rien. Elle était déchaînée. Je l'ai prise dans mes bras pour la contenir, pour lui faire entendre raison, et j'ai vu ses yeux chargés de haine. Et elle m'a frappé, elle m'a craché au visage en m'accablant du nom de Judas avec mépris. Sa rage soudaine lui avait fait perdre complètement la tête. Je ne pouvais plus, je n'avais pas la force physique, ni la force de persuasion pour l'empêcher de s'immoler. J'ai appris sa mort il n'y a que quelques minutes. Et j'ai tout de suite pensé que cela vous atteindrait profondément.

RÉGIS — Elle a payé de sa vie pour le combat que je mène. Le sang ne doit plus couler, Courrier. Je cherche le bien des hommes mais pas à ce prix. Quelque idéal que l'on puisse avoir, la mort des autres ne peut le justifier.

COURRIER — Est-ce que vous rendez les armes?

RÉGIS — Non, je conserve encore l'espoir que quelqu'un bouge. Ou Grieve ou De Guise. Ou les deux. Il y a quelque part un terrain d'entente et je vais le trouver.

COURRIER — Des journalistes attendent à l'extérieur que vous donniez une conférence de presse.

RÉGIS — À quel sujet? Je leur ai tout dit dès le début

du conflit, depuis il ne s'est rien passé. Je vois très bien la tactique de nos ennemis, Courrier, elle est machiavélique mais efficace. Elle est simple mais il fallait y penser. Graduellement, ils m'ont isolé dans une place déserte et ils jouent les victimes dehors. Un homme seul ne peut pas avoir raison contre tous les autres. Qu'ils blessent mortellement une femme, ensuite la faute ne retombera pas sur eux mais sur l'entêté qui dans ses derniers retranchements défend farouchement des convictions qui, aux yeux de la multitude, finissent par paraître absurdes... Non, je ne me rends pas, Courrier, car je sens qu'il va se produire quelque chose. Il faut qu'il se produise quelque chose, nous nous sommes engagés sur la route du non-retour.

COURRIER — Acceptez de voir les journalistes.

RÉGIS — Ce sont les factions d'en face que je veux voir, Courrier, pas les journalistes.

COURRIER — Ils semblent réclamer des informations secrètes que vous pourriez avoir sur le personnage de Grieve.

RÉGIS — Alors ce ne sont pas des journalistes mais des récupérateurs de charogne.

COURRIER — Est-ce vrai que vous possédez ces informations sur la vie personnelle de Grieve?

RÉGIS — Je connais peut-être certaines choses de lui mais je ne te les apprendrai pas. Ni à toi, ni à quiconque.

COURRIER — J'ai aussi à vous transmettre une invitation du directeur des Affaires publiques à la Société de Télévision d'État.

RÉGIS — Pourquoi ne m'appelle-t-il pas lui-même?

COURRIER — La rumeur circule à l'effet que vous ne prenez même plus vos appels.

RÉGIS — Tu sais toi qu'elle est fausse! Et un homme sérieux n'agit pas en fonction de ces rumeurs stupides. Quelle est son invitation?

COURRIER — Un débat télévisé en direct entre vous, De Guise et Grieve. Les modalités de la confrontation pourraient être fixées dans les vingt-quatre heures.

RÉGIS — Mais je n'ai rien à débattre devant la population, moi! J'ai exposé mes vues à trois reprises au réseau d'État et sur trois réseaux privés aux premiers jours de la grève et quand j'ai décidé du «lock-out». Qu'est-ce qu'il y aurait à débattre maintenant sur la place publique? Qu'est-ce qu'il y aurait à dire au peuple sinon que les parties concernées ne se parlent pas et ne se rencontrent pas. Je n'irai pas faire le pitre avec De Guise qui est passé maître dans l'art de biaiser et Grieve qui cultive le sarcasme et les sophismes comme d'autres cultivent la betterave à sucre.

COURRIER — Eux ont déjà donné leur réponse, ils ont accepté.

RÉGIS — Moi je refuse catégoriquement. Je ne marche pas dans le grand cirque des media. Communique ma décision aux journalistes qui t'attendent. Cela leur fera quelque chose à se mettre sous la dent. Et dis-leur aussi que j'attends De Guise et Grieve à la table des négociations, qu'ils y ont été invités à plusieurs reprises par divers intermédiaires et surtout qu'ils n'ont pas encore daigné acquiescer. Ajoute encore que je juge comme criminels ceux qui sont responsables de la mort de Princesse, et que des hommes qui rouent de coups une femme seule et sans défense sont indignes des vivants et des morts.

COURRIER — Tout cela n'arrangera rien, au contraire, mais je vais transmettre le plus fidèlement possible vos paroles aux journalistes.

RÉGIS — Et prends congé jusqu'à demain matin si tu veux. Moi, je n'ai plus besoin de toi ce soir.

COURRIER — Très bien. Je vous obéis mais je vous avoue très honnêtement que j'entretiens des doutes sur la sagesse de vos décisions.

RÉGIS — Lorsque l'on est isolé, Courrier, la règle du jeu est de prendre ses décisions seul.

COURRIER — À votre place...

RÉGIS — Tu n'es ni à ma place ni dans ma peau... Comment cela se passe-t-il dehors ?

COURRIER — Presque tous les élèves et les parents se sont dispersés. Mais il reste de forts piquets d'ouvriers et d'enseignants devant les principales issues. Grieve et De Guise sont toujours sur place. C'est une belle soirée d'octobre et tout paraît calme, ce qui ne me rassure aucunement.

RÉGIS — Tu as vu Sapo ?

COURRIER — Je l'ai croisé à deux ou trois reprises. Il paraissait affairé, soucieux.

RÉGIS — Je me demande si ce n'est pas lui qui a raison.

Paraît Cybèle. Radieuse, jolie, cheveux en bataille. Elle va s'élancer dans les bras de son père mais réprime son mouvement dès qu'elle aperçoit Courrier. Elle se raidit et Courrier semble tout à coup mal à l'aise.

RÉGIS — Cybèle ! Que fais-tu là ?

CYBÈLE — Je suis venue te voir, mon chéri, mais je ne m'attendais pas à trouver Courrier auprès de toi. À son poste. Fidèlement.

COURRIER, *sec, essayant de reprendre contenance* — Je partais.

CYBÈLE, *à son père* — C'est vrai ?

RÉGIS — Oui.

CYBÈLE — Alors dis-lui de ne pas s'en aller tout de suite. Je suis venue aussi parce que j'avais des choses à t'apprendre et sa présence m'aidera. Je hais dire du mal des gens quand ils ne sont pas là.

RÉGIS, *comme un reproche* — Tu as pris des risques inutiles en passant derrière les piquets.

CYBÈLE — Quels risques ? Je ne suis aucunement impliquée, moi. Comment pourraient-ils m'empêcher de passer et me traiter de «scab»? J'avais à voir mon père et quand je désire voir mon père personne au monde ne peut m'en empêcher. Même pas mon amant, si j'en avais un. *(Rit puis fait face à Courrier.)* La réunion des dissidents chez Paula, tu y étais?

COURRIER, *après une courte hésitation* — Oui, j'y étais.

CYBÈLE — Tu en as fait un rapport exact à mon père?

COURRIER — Non, je n'ai pas cru bon de... le faire.

CYBÈLE — Et les dissidents, à l'unanimité, étaient en faveur de la nouvelle vocation de Chénier?

COURRIER — Je crois me souvenir que oui.

CYBÈLE — Tu crois te souvenir? Mais c'était hier, Courrier!

COURRIER — C'est vrai, c'était hier. Mais j'ai eu à m'occuper de tellement de choses depuis.

CYBÈLE — Tellement que tu as oublié ton intervention chez Paula.

COURRIER — Il est vrai que les professeurs dissidents m'ont demandé d'adresser la parole chez Paula, mais...

CYBÈLE — Et tu savais que tes paroles auraient du poids auprès d'eux.

COURRIER *crie soudain* — À quoi veux-tu en venir avec tes questions?

Silence. Régis le regarde, intrigué. Cybèle sourit avec une froideur méprisante.

CYBÈLE — Je n'en ai plus à te poser.

RÉGIS — Ils étaient prêts à déclencher un mouvement de contre-grève? Ils étaient unanimement d'accord avec mes idées?

COURRIER *se redresse* — C'est exact. Je leur ai dit qu'ils étaient courageux mais qu'ils perdaient leur temps et que vous étiez fichu... Et j'étais sincère, je croyais en ce que je disais. Et je le crois encore. Je suis de la génération de De Guise et je souhaite que le pouvoir appartienne un jour aux travailleurs. Et je suis en faveur de tous les débrayages qui se produisent dans les institutions comme celle-ci, dirigées par des cerveaux dépassés, qui fonctionnent à contre-courant du temps... Je préfère vous remettre ma démission avant de connaître l'outrage d'être chassé par un pontife décadent.

Il va sortir mais Cybèle lui bloque la route.

CYBÈLE — Si j'avais accepté d'être ta maîtresse il y a un mois quand tu me l'as proposé, tu l'aurais suivi jusqu'au bout cet homme, hein? Tu aurais risqué ta vie pour lui. Et ces injures que tu lui adresses, nous ne serons pas dupes mon père et moi, elles n'expriment que le dépit amoureux d'un petit jeune homme fat qui se considère comme un esclave bafoué. Nous t'avons suffisamment vu, Courrier.

COURRIER *sort en criant vers Régis* — Partout où j'irai je déverserai sur votre nom tout le fiel qui s'est accumulé en moi à vous servir.

Il est sorti. Silence. Cybèle regarde son père puis va lentement se jeter dans ses bras.

CYBÈLE — Aurais-tu préféré que j'attende qu'il ne soit pas là?

RÉGIS — Non. Tu as fait ce qu'il fallait faire.

CYBÈLE — Ce n'est pas dans ma nature de dénoncer quelqu'un. Mais ce n'est pas dans ma nature non plus accepter que l'on te bafoue. Je t'aime trop pour cela.

RÉGIS *la presse contre lui* — Ma pauvre chérie, moi aussi je t'aime. Mais plus que jamais je suis assailli de doutes. Je me retrouve seul à croire en une cause qui me semble perdue.

CYBÈLE — Et moi je ne compte pas? Et Myra non plus?

RÉGIS *sourit* — Il vous manque peut-être l'objectivité à toutes les deux.

CYBÈLE — C'est vrai, Myra est subjective et moi de même. Au contraire de ma mère je n'ai pas souhaité que tu réussisses toujours dans des entreprises faciles et que nous ayons une vie de tout repos. Comme à moi l'uniformité des esprits et la sécurité te font horreur. Et tu ne te laisses pas emporter par des courants concentrationnaires qui déportent des masses d'enfants et d'adultes vers des univers gris et insignifiants. Que tu te retrouves seul devrait te confirmer la légitimité de ta cause.

RÉGIS — Tu crois qu'un seul homme puisse avoir raison contre tous?

CYBÈLE — Oui, et finir par prouver qu'il est le plus fort. Les autres, tous les autres ont besoin de se retrouver en groupe avant d'avoir le courage d'émettre une opinion, avant d'avoir même suffisamment de caractère pour faire un geste. Et leurs chefs ne sont forts que parce qu'ils sentent autour d'eux l'asservissement du troupeau.

RÉGIS *lui caresse les cheveux* — Ainsi donc, tu as failli être la maîtresse de Courrier!

CYBÈLE — Il en a été question, oui, mais comme j'ai vu clair en lui tout à coup! Il ne jouait qu'à te ressembler mais au fond, il était comme les autres. Et ta fille ne peut pas aimer un homme comme les autres.

RÉGIS — Tu as vu ta mère récemment?

CYBÈLE — Très peu.

RÉGIS — Elle se sent effroyablement seule en ce moment. Tantôt elle entreprend des démarches de divorce, tantôt elle ne sait plus, elle me téléphone pour me dire qu'il y a des choses plus importantes.

CYBÈLE — Chaque fois que je vais à la maison, elle me parle du passé. De toi quand tu es sorti des Ordres pour l'épouser. Comme tu étais noble et beau! De Timor enfant, de Timor à douze ans, à quinze ans, de Timor quelque part dans l'éternité. Comme il était un être exceptionnel et comme la vie a été cruelle à son endroit pour lui avoir réservé une fin aussi horrible ! Puis lorsqu'elle se rend compte qu'elle m'a oubliée, elle me demande pardon. Elle m'explique combien il lui avait été difficile de se partager entre toi, Timor et moi... Parfois encore elle se fait des reproches parce que tu l'as quittée pour une autre. Elle ne t'aurait pas perdu si elle avait été vigilante, si elle s'était occupée de toi d'un peu plus près. En d'autres occasions tu deviens le seul responsable de votre mariage raté. Parce que tu as été égoïste, tu n'as songé qu'à tes seules ambitions et tu ne t'es servi d'elle que pour réaliser certains de tes rêves inutiles et démesurés qui n'étaient que des sorties d'occasion pour la fuir ou t'évader de toi-même.

RÉGIS — Je n'aurais jamais voulu la faire souffrir mais cela s'est produit.

CYBÈLE — N'y pense pas. Les hommes d'un seul bonheur, cela ne doit pas exister. Ne pense pas à ta femme Locuste, tu lui as tout donné, le possible et l'impossible. Maintenant ne pense qu'à ta propre vie, ne pense qu'à ton amour et à tout ce qu'il te reste à faire.

RÉGIS — Vois-la quand même de temps à autre. Tu ne la détestes pas ? Tu ne l'as jamais détestée ?

CYBÈLE — Non, mais en vieillissant, l'amour que j'avais pour elle s'amenuise et je me rends compte que j'éprouve pour toi un attachement qui n'existe en moi pour personne d'autre. Je n'aurais pas voulu avoir un père différent de toi. Et lorsque j'étais jeune, je rêvais d'avoir pour amant ou pour mari un homme qui te ressemblerait en tous points... *(Blottie contre lui elle l'embrasse trois fois sur les joues en ponctuant ses baisers de :)* Je t'aime... je t'aime... je t'aime... Sois courageux... Va jusqu'au bout... tu gagneras. Je le sens d'instinct. Et ce n'est pas ridicule un homme qui lutte pour un idéal à cinquante-cinq ans, au contraire, c'est aussi admirable que rare.

RÉGIS — Maintenant tu vas t'en aller et tu vas me promettre d'être très prudente.

CYBÈLE, *qui s'amuse* — La prudence est ma principale vertu.

RÉGIS — Je suis très sérieux, Cybèle.

CYBÈLE — Moi aussi même si j'ai le fou rire quand je vois de grands garçons et des hommes se promener avec des pancartes remplies de fautes d'orthographe. Mais je te promets de ne pas les provoquer et même de me faufiler par une sortie qui n'est pas bloquée. Les agents de sécurité vont m'en indiquer une, ils sont gentils pour moi.

RÉGIS — Si tu as l'occasion de voir Myra, rassure-la.

CYBÈLE — Je m'entends bien avec elle, nous sommes devenues des amies. Je n'ai pas besoin de la rassurer. Elle est comme moi, elle n'a confiance qu'en toi. *(Passe ses bras autour du cou de Régis.)* Bonne soirée, mon grand monsieur. Attends qu'ils viennent à toi; ils ne peuvent faire autrement que de venir à toi. Ne te laisse pas user, le temps joue maintenant en ta faveur.

Et ils s'embrassent en s'étreignant. Puis elle se détache de lui, s'éloigne de quelques pas, s'arrête, se retourne vers lui et lui envoie un baiser de la main. Puis elle sort. Régis reste immobile un moment et réfléchit. On le sent terriblement seul. Paraît Sapo.

SAPO — Comme je t'avais dit, il n'y a rien à faire avec Grieve. Mais je t'amène De Guise. Il consent à te rencontrer mais tient à ce que votre conversation demeure purement formelle et ne soit connue de personne. Il ne vient même pas entamer des négociations mais strictement causer. Quant à Grieve, il est certain d'avoir bientôt ta peau et ne discute plus jamais avec des intellectuels. Il dit ne comprendre que le langage du peuple des travailleurs.

RÉGIS — Je te remercie, Sapo. J'étais certain que tu m'aiderais au moins à faire un pas.

SAPO — Tu seras calme ?

RÉGIS — Promis.

SAPO — Je reste dans le voisinage au cas où tu aurais encore besoin de moi.

RÉGIS — Dans quelques heures, les choses auront peut-être cessé d'être immobiles et accablantes.

SAPO — Je te le souhaite, Régis. Je t'envoie De Guise.

Et il sort.

SEPTIÈME TABLEAU

Un bon moment s'écoule avant que ne paraisse De Guise dans le bureau de Régis. Il s'immobilise et regarde autour de lui, constatant la grande solitude de Régis.

RÉGIS — Venez, De Guise.
DE GUISE — C'est ce que vous cherchiez, je crois?
RÉGIS — Quoi donc?
DE GUISE — Faire toute cette solitude autour de vous.
RÉGIS — C'est d'abord vous qui avez entraîné les enseignants et les enfants dehors.
DE GUISE — Mais vous n'avez pas songé à conserver des gens qui vous appuient?
RÉGIS — Il y avait Princesse...
DE GUISE — Les enseignants ne sont en rien responsables de la mort de votre secrétaire. J'aimerais que vous le sachiez.
RÉGIS — Je n'accuse personne, je n'ai accusé personne. Cette mort n'est due qu'au pourrissement d'une situation qui selon moi n'a pas sa raison d'être.
DE GUISE — Admettons que notre grève est illégale, croyez-vous que la fermeture des chantiers ne soit pas non plus illégale?
RÉGIS — J'ai posé mes conditions pour ramener les ouvriers au travail et je suis prêt à faire certaines concessions aux enseignants pour qu'ils reprennent leurs cours.
DE GUISE — Les ouvriers ont leurs consignes et nous avons les nôtres. Nous avions de notre côté de bonnes raisons pour débrayer, il faudrait que nous en ayons de meilleures pour rentrer... et rattraper ce que nous avons perdu.
RÉGIS — En salaires?
DE GUISE — En salaires bien sûr mais surtout en autorité aux niveaux pédagogique et disciplinaire.

Vous avez une façon de percevoir vos fonctions que nous jugeons anachronique. Vous menez une action contraignante qui nous ramène vingt ans en arrière, qui ne tient aucunement compte des mutations sociales et de l'évolution de l'enseignement. Le gouvernement a commis une erreur en vous nommant à Chénier. Ce n'est pas votre place.

RÉGIS — Alors vous ne rentrerez qu'à la seule condition d'avoir ma tête ?

DE GUISE — C'est brutal mais c'est exact. La direction de Chénier sera collégiale ou Chénier n'existera pas.

RÉGIS — Vous êtes très sûr de vous !

DE GUISE — Oui.

RÉGIS — Mais comme vous n'êtes pas mandaté pour négocier, vous n'êtes ici en somme qu'en mission de reconnaissance ou de sondage. Après m'avoir totalement isolé vous jugez le moment opportun de tâter le pouls de votre adversaire.

DE GUISE — Erreur. Nous avons constamment tâté votre pouls depuis le début du conflit par l'intermédiaire de Courrier.

RÉGIS — Bien sûr. J'ai appris tout à l'heure qu'il menait la bataille sur deux fronts. Maintenant il ne pourra plus le faire.

DE GUISE — Vous avez aussi perdu votre valet.

RÉGIS — Je ne le considérais pas comme un valet.

DE GUISE — J'ai employé une métaphore... Et valet ou pas, il avait un traitement très enviable... *(Les deux hommes se regardent. Bref silence.)* Cependant il a préféré se convertir à notre cause plutôt que de continuer à vous appuyer. Pourquoi ?

RÉGIS — Il ne partageait plus mes convictions. Mais les a-t-il jamais partagées ?

DE GUISE — Sans les partager il aurait pu faire semblant de vous appuyer jusqu'au bout ; il y aurait gagné.

RÉGIS — C'est ce que vous auriez fait à sa place ?

DE GUISE — Mais je ne suis pas en cause... Les types comme Courrier supportent mal de se retrouver du côté des vaincus.

RÉGIS — Il n'avait tout simplement pas la force de caractère ni la patience d'attendre que le vent tourne.

DE GUISE — Vous vous faites encore ce genre d'illusion ou jouez-vous tout simplement à croire en votre invincibilité ? Il n'y a plus de place pour les missionnaires dans l'éducation, vous savez.

RÉGIS — Je sais que nous sommes encore subjugués par les technocrates mais l'humanisme n'est pas mort et certains principes vitaux peuvent encore s'imposer à des esprits clairvoyants.

DE GUISE — Et que faites-vous de l'homme de demain et de la nouvelle culture manifestement vivante en ce pays ?

RÉGIS — La nouvelle culture, l'homme de demain, ne vous sont jamais apparus comme des expressions mal coiffées? Quelqu'un a dit que nous assistions à une crise de civilisation et je suis peut-être d'accord... Mais je ne crois pas cependant en l'homme de demain, ni en la nouvelle culture. Un autre credo est profondément ancré en moi: celui de l'éternité de l'homme et de la valeur sacrée de ses héritages séculaires. Où, quand, comment, l'homme a-t-il été arraché au néant? Comme vous, je l'ignore. Mais quelque part dans les ténèbres du silence inhabité, la rencontre de certains éléments ou Quelqu'Un de Tout Puissant a créé ce «roseau pensant». Que ce soit par hasard ou par nécessité, l'homme demeure l'émanation d'une volonté qui lui est étrangère ! Mais la transmission de l'acquis et du conquis est retracée à travers l'histoire sous de multiples formes de témoignages dont certains demeurent encore mystérieux... Dites-moi, De Guise, comment vous concevez votre homme de demain et sa nouvelle culture ? Comme les résultantes d'une pensée actuelle et spontanée? Comme un concept arbitraire sans préalable et sans antécédent? Sur quoi vous basez-vous pour y croire et tenter d'en persuader des enfants dont l'esprit est déjà, que vous le vouliez ou non, peuplé de rêves archaïques et habité par un destin particulier.

DE GUISE — La crise de civilisation dont vous avez parlé consiste justement en un refus, en un rejet global de toute préexistence d'organisation sociale. Regardez ce qu'a fait Marx...

RÉGIS — Nous ne sommes pas dans la Russie des Tsars. Et même si nous y étions, dans la Russie des Tsars ou dans l'Empire chinois d'avant Mao, nous ne serions aucunement justifiés de piller ou d'anéantir nos trésors et nos temples. Les Russes et les Chinois ne l'ont pas fait. Toute révolution sociale ou toute révolution culturelle n'implique pas que les hommes subjugués doivent raser tous les vestiges du passé et recommencer une nouvelle civilisation sur des cendres, uniquement sur des cendres.

DE GUISE — Vous êtes un réactionnaire intellectuel et sympathique Régis, mais vous ne pourrez jamais vous mettre dans la peau des pédagogues d'aujourd'hui qui eux font la démarche de mettre la culture à la portée de tous.

RÉGIS — Mais quelle démarche? Et pour arriver à quelle culture?

DE GUISE — À la culture instantanée, improvisée, dépouillée de toute contrainte.

RÉGIS — Qui n'a ni passé, ni avenir?

DE GUISE — Et qui se suffit à elle-même.

RÉGIS — Vous érigez le culte de la paresse, de l'indiscipline, de la facilité, vous tuez tout élément de continuité, vous inculquez à des enfants un sens de la vie sans valeur profonde parce que vous les orientez vers le provisoire, vers une actualité fragile qui en font des robots pensants dont les idées restent sans suite et sans germe. Tuez le passé, les civilisations qui nous précèdent, les grands cris d'horreur ou d'espérance de l'Histoire, creusez sa fosse au genre humain mais Dieu de Dieu! trouvez vite des valeurs réelles de remplacement pour combler le vide que vous créez. J'ai été appelé à Chénier pour opérer des réformes, De Guise, et je ne suis pas comme vous le dites un réactionnaire. Cette définition que vous donnez de moi est trop simpliste et ne reflète pas mon action. Vous n'êtes pas là pour négocier, bien sûr, mais puisque nous nous retrouvons face à face, je me permets de vous faire savoir, et j'espère que vous transmettrez ce message à vos troupes qui, elles, vous ont élu à leur tête d'une façon démocratique, donc traditionnelle, donc conventionnelle, et donc non-révolutionnaire, que je suis prêt à vous accorder des concessions sur certains points à condition que vous regagniez tous vos postes dans les vingt-quatre heures.

DE GUISE — S'il y a des conditions à poser, elles viendront de nous, Régis.

RÉGIS — Si vous voulez. J'ai l'esprit ouvert à toute proposition qui ait un sens.

DE GUISE — Mais de là à nous donner votre accord... Essayons quand même. D'abord, le retour au travail ne se fera pas sans garantie formelle de votre part qu'aucun salaire ne sera perdu.

RÉGIS — C'est une chose que je suis prêt à vous accorder.

DE GUISE — Ensuite, nous insisterons pour qu'il y ait une diminution générale des heures de cours.

RÉGIS — Ce qui pourrait signifier une nouvelle embauche considérable.

DE GUISE — Nous avons pensé à mettre au point une nouvelle formule qui serait acceptée par les deux parties.

RÉGIS — Des détails, je vous prie?

DE GUISE — Pas maintenant. Quand nous serons rentrés seulement et que nous serons devenus vos cogestionnaires.

RÉGIS — Pardon?

DE GUISE — Vous m'avez bien compris. Cette résolution a été votée à notre dernière assemblée. Le corps enseignant se reconnaît le privilège de voir aussi à l'administration de Chénier.

RÉGIS — Cela ne convient aucunement à la direction de Chénier.

DE GUISE — C'est-à-dire: vous.

RÉGIS — En l'occurence, oui.

DE GUISE — Ce pauvre Courrier ayant perdu sa notoriété de principal lieutenant auprès de sa majesté, il ne pourra pas assister aux passionnants débats qui se préparent.

RÉGIS — L'heure n'est plus aux sarcasmes, De Guise.

DE GUISE — Comme vous ne prenez pas au sérieux ce que je viens de vous proposer...

RÉGIS — Qu'exigez-vous d'autre?

DE GUISE — Mais rien! N'étant pas ici pour négocier je vois mal ce que je pourrais exiger.

RÉGIS — Que je résigne mes fonctions par exemple?

DE GUISE — Que l'opposition vienne de moi ou d'ailleurs, vous les perdrez.

RÉGIS — Oh! non. Pas tant que je n'aurai pas démissionné ou cédé sur l'essentiel. Ce qui n'est pas mon intention.

DE GUISE — Nous partageons les mêmes goûts pour l'essentiel sans en avoir la même conception. Nous nous livrons une guerre idéologique, Régis, et les gros sous n'en sont pas l'enjeu.

RÉGIS — À l'usure, votre optique pourrait changer.

DE GUISE — La vôtre aussi.

RÉGIS — Pour cela, il faudrait que le gouvernement se tourne contre moi.

DE GUISE — Ou qu'il se produise des événements inattendus. Vous savez ce que c'est l'inattendu?

RÉGIS — Oui et je n'écarte pas une intervention du hasard, mais qui pourrait très bien jouer de mon côté.

DE GUISE — Et si l'inattendu avait le même jeune visage rempli de santé, de jeunesse et de pureté que celui de Courrier?

RÉGIS — Vous y revenez souvent.

DE GUISE — Pour vous faire réfléchir. Vous êtes un homme d'illusions, donc un homme susceptible de faiblesse.

RÉGIS — Et vous êtes un homme gonflé d'assurance donc susceptible de perdre les réalités de vue.

DE GUISE — Nous n'engagerons pas de discussion sur les réalités, elles vous ont dépassé.

RÉGIS — Méfiez-vous. J'ai la foi des solitaires.

DE GUISE — Et je ne peux m'empêcher de vous admirer, mais un peu comme on admire les civilisations éteintes.

RÉGIS — Je peux au moins prétendre avoir des appartenances dans l'espace, dans le temps, dans la pérennité des choses, tandis que vous, comme des milliers et des milliers d'autres, vous n'êtes plus que des extra-terrestres, des déracinés de l'esprit et des objets.

DE GUISE — Peut-être, Régis, peut-être... Mais souvenez-vous que les extra-terrestres ont souvent des ambitions terre-à-terre... Je ne vois pas pourquoi nous irions plus loin ce soir... Nous n'aurons vous et moi aucune déclaration à faire aux journaux... De mon côté je rejoins le piquet de grève, du vôtre, vous restez emmuré dans votre forteresse à vous demander comment vous pouvez en sortir sans disgrâce... Je ne vous souhaite pas le pire mais ce n'est malheureusement qu'une question de temps.

RÉGIS — Savez-vous ce que je vous souhaite, moi?

DE GUISE — Non.

RÉGIS — Que votre tranquille assurance ne vous joue pas de vilain tour et que vous n'ayez pas plus tard à vous repentir devant le déchirement tragique des enfants à qui vous n'aurez pas su léguer l'héritage des sentiments, des valeurs, des connaissances dont ils auraient besoin pour respirer et s'épanouir.

DE GUISE — N'entretenez pas ce genre de crainte. Les enfants vivront demain dans un monde qu'ils reconnaîtront. Et ce ne sera pas le vôtre.

RÉGIS — Peut-être. Mais j'ose encore espérer changer quelque chose au système actuel. Et je tenterai l'expérience jusqu'à ma mort.

DE GUISE — Bonne chance, alors.

RÉGIS — Si vous étiez venu me voir de bonne foi, vous ne repartiriez pas ainsi, nous aurions pu trouver une façon d'en venir à une entente.

DE GUISE — Ce n'était pas mon but. Le fruit n'est pas encore mûr. Il devra tomber de l'arbre avant.

Et il sort. Régis ne peut que réprimer un mouvement de colère inutile. Le téléphone sonne ; il s'empresse de décrocher.

RÉGIS — Allo ! *(Pour toute réponse, il n'entend que le bruit d'une respiration d'homme dans l'appareil.)*

RÉGIS — Allo !... Qui est là ? *(La respiration continue en s'amplifiant.)*

RÉGIS — Je vous somme de répondre. Je n'ai pas de temps à perdre avec des farceurs...

LA VOIX — Ici la voix des Brigades d'Octobre. Écoutez bien ce que j'ai à vous dire.

RÉGIS — Qu'est-ce que j'en ai à faire des Brigades d'Octobre, moi ?

LA VOIX — Ne m'interrompez pas et ne raccrochez pas, sinon vous pourriez le regretter le reste de vos jours. Écoutez bien ce que j'ai à vous dire : si d'ici minuit, vous ne démissionnez pas de votre poste après avoir cédé aux réclamations de tous les travailleurs, enseignants et ouvriers, que vous contraignez à ne plus exercer leur fonction dans la dignité et la légitimité, si d'ici minuit vous ne leur avez pas cédé le pouvoir que vous leur avez enlevé, il arrivera quelque chose de très grave à une personne de votre entourage, si ce n'est pas à vous directement. Vous considérant comme un homme dangereux et violent vis-à-vis la société, nous agirons avec violence.

RÉGIS — Je m'attendais à ce que ce genre de menace soit proféré plus tôt et ce n'est pas le chantage d'une personne anonyme qui me fera bouger d'une manière ou d'une autre. Je ne reçois, je n'accepte d'ordre de personne.

LA VOIX — Alors, attendez-vous au pire. Nous frapperons très vite. C'était notre premier et dernier ultimatum.

Et l'on entend l'appareil que l'on raccroche à l'autre bout. Régis raccroche à son tour et rien ne peut plus empêcher maintenant que l'angoisse ne grandisse en lui. S'étant éloigné du téléphone, il y retourne nerveusement, décroche et compose un numéro. L'on entend la sonnerie à l'autre bout et un appareil que l'on décroche.

VOIX DE MYRA — Allo!

RÉGIS — Bonsoir, Myra.

VOIX DE MYRA — Je savais que c'était toi, mon amour.

RÉGIS — Tu vas bien?

VOIX DE MYRA — Ce serait tellement mieux si tu étais là. Mais j'apprends... j'apprends chaque jour à être patiente et raisonnable. J'avais... j'ai si peu à te donner. Mais ce tout petit peu je te l'offre à travers mes larmes et mon sourire, si cela peut t'encourager à continuer.

RÉGIS — Merci, Myra... Tu es seule?

VOIX DE MYRA — Mais oui.

RÉGIS — Tu ne prévois pas sortir?

VOIX DE MYRA — Mais pourquoi me demandes-tu ça?

RÉGIS — Pour rien, mon amour... Est-ce que Cybèle ne doit pas passer te voir, ce soir?

VOIX DE MYRA — Elle ne m'a pas téléphoné mais il est possible qu'elle vienne.
RÉGIS — Oui, je crois qu'elle ira... J'aimerais que tu ne sortes pas, que tu l'attendes. Et quand elle sera là demande-lui de m'appeler.
VOIX DE MYRA — Oui, je le ferai. Mais qu'est-ce qu tu as, Régis?
RÉGIS — Rien. Je suis... fatigué.
VOIX DE MYRA — C'est difficile, hein? Tu as choisi la voie difficile.
RÉGIS — Ma situation est comme... une partie d'échecs. Et je ne tiens pas à ce que l'on fasse de moi le fou du roi. Il y a tant de petits rois tristes de nos jours. Bonsoir, Myra. Et n'oublie pas pour Cybèle.
VOIX DE MYRA — Continue de me faire confiance, veux-tu?
RÉGIS — Oui, mon amour.

Et il raccroche. Il réfléchit un moment, décroche de nouveau et compose un autre numéro. Longtemps, l'on entend une sonnerie à l'autre bout et graduellement Régis est glacé d'effroi. Puis il se décontracte lorsqu'il entend que l'on décroche.

RÉGIS — Locuste!
VOIX DE LOCUSTE — Oui, c'est moi. Pourquoi m'appelles-tu à cette heure?
RÉGIS — Tu allais dormir?
VOIX DE LOCUSTE — Presque. Comme je ne sais plus quand tu rentres ou quand tu ne rentres pas, ou quand tu décideras de ne plus rentrer jamais...
RÉGIS — Cybèle est avec toi?
VOIX DE LOCUSTE — C'est la même chose pour Cybèle... Je suis de moins en moins au courant de ses allées et venues.
RÉGIS — Tu peux avoir totalement confiance en elle... Je n'aime pas que tu sois seule, Locuste.

VOIX DE LOCUSTE — C'est une situation que tu as voulue.

RÉGIS — Pas vraiment.

VOIX DE LOCUSTE — Souviens-toi, lorsque nous avions une vie de famille...

RÉGIS *la coupe* — Ne recommence pas, Locuste! Tu n'aideras ni toi ni personne en revenant encore sur le passé.

VOIX DE LOCUSTE — Le passé est tout ce qui me reste... Mais qu'est-ce qui te rend si inquiet tout à coup?

RÉGIS, *après une courte hésitation* — Il n'est que normal que je songe à protéger mes proches. Je t'incite à la prudence, et protège Cybèle lorsqu'elle sera là.

VOIX DE LOCUSTE — Lorsque tu oublies Myra, c'est pour elle que tu te fais les plus grands soucis, pas pour moi.

RÉGIS — Si tu en es persuadée je ne tenterai pas de te faire la démonstration contraire, l'heure n'est plus aux paroles perdues.

VOIX DE LOCUSTE — Quand admettras-tu que c'est ta cause qui est perdue?

RÉGIS — Jamais, Locuste. Et pour l'instant je te demande de ne plus songer qu'à te protéger et qu'à protéger Cybèle.

VOIX DE LOCUSTE — Car tu ne peux plus te charger de le faire toi-même alors que ce serait ton seul et unique devoir.

RÉGIS — Je n'ai plus qu'un seul et unique devoir: je suis confronté à des éléments de vie qui se situent à divers niveaux à la fois et pour lesquels je me sens tout aussi responsable. Je te rappellerai peut-être un peu plus tard.

VOIX DE LOCUSTE — Alors, je vais devoir lutter contre l'effet des somnifères pour attendre une dernière fois de tes nouvelles. Une dernière fois, Régis.

RÉGIS — J'ai compris. Sache que tu m'es encore plus chère que tu ne le crois.

VOIX DE LOCUSTE — Tant qu'il y aura Cybèle, bien sûr... Mais quand même, sache de ton côté que je t'aimerai jusqu'à ma mort... Bonne nuit, Régis. *(Et elle raccroche. Régis aussi raccroche mais de plus en plus accablé. À peine a-t-il eu le temps de se ressaisir que paraît Sapo.)*

SAPO — Les Brigades d'Octobre, cela te dit quelque chose?

RÉGIS — Oui, depuis tout à l'heure. J'ai reçu le coup de fil de la voix anonyme et classique.

SAPO — Elles ont réussi à faire passer un communiqué par des stations radiophoniques prévenant la population qu'elles agiraient violemment d'ici minuit dans l'intérêt des travailleurs de Chénier qu'elles jugent spoliés et méprisés par un fasciste et un tyran.

RÉGIS — Quelle est la réaction des chefs syndicaux?

SAPO — Je l'ignore. J'ai entendu la lecture du communiqué dans ma voiture. Mais je suis certain qu'ils sont étrangers à cette initiative terroriste.

RÉGIS — Les Brigades d'Octobre, qu'est-ce que c'est?

SAPO — Je n'ai pas d'information précise à leur sujet sinon qu'elles se sont manifestées à quelques reprises depuis les six derniers mois et que c'est la première fois qu'elles le font à l'occasion d'un conflit de travail. Que comptes-tu faire?

RÉGIS — J'ai déjà prévenu Myra et Locuste d'user de prudence cette nuit et de protéger Cybèle mais en essayant de n'alarmer personne.

SAPO — C'est tout?

RÉGIS — Oui.

SAPO — Et tu n'as pas fait appel au chef de police pour qu'il leur offre une protection adéquate.

RÉGIS — Je n'en suis pas rendu là. Je ne veux demander ni l'aide de la police ni l'aide de l'armée. Ce serait créer un climat de panique.

SAPO — Tu es fou!
RÉGIS — Tu prendrais au sérieux tout chantage ou toute menace de ce genre?
SAPO — Dans les circonstances, oui. Nous vivons sous le règne de l'agitation depuis des années, il peut tout se produire. J'agirai donc à ta place. J'appelle le chef de police et s'il ne veut pas bouger, je rejoins le président de la Communauté Urbaine. Dans une demi-heure, Locuste, Myra, Cybèle et toi serez sous la protection de la police.
RÉGIS — Pourquoi moi?
SAPO — Parce que si les Brigades d'Octobre te choisissent comme victime, ce ne sont pas tes agents de sécurité qui sauront te protéger, tu le sais.
RÉGIS — Agis comme tu l'entends, Sapo, mais je ne veux pas leur demander moi-même cette aide. Et personnellement, je m'en passerais bien parce que là où j'en suis, après ma rencontre avec De Guise, j'aurais envie de me mesurer à Dieu ou au Diable s'ils existent.
SAPO — Je t'avais prévenu que ce serait inutile.
RÉGIS — Cela n'a pas été totalement inutile, Sapo. Je crois avoir décelé chez De Guise quelque appétit pour des fonctions administratives à l'intérieur de Chénier. Ils ont tous un défaut dans leur cuirasse.
SAPO — Toi seul n'en as pas, tu crois?
RÉGIS — Je me bats sans cuirasse.

Paraît soudainement Grieve dans l'entrée du bureau. Sapo le salue de la main alors que Régis marque sa surprise.

SAPO — Grieve aussi mais il a la peau dure. Puisqu'il est là, ce cher ami, je vous laisse ensemble... Je téléphone du bureau de Princesse et je ne serai pas loin ensuite.

Sapo sort.

HUITIÈME TABLEAU

Les deux hommes se mesurent en silence pendant quelques secondes.

GRIEVE — Vous avez communiqué avec le grand patron?

RÉGIS — Qui est-ce?

GRIEVE — Le Premier ministre.

RÉGIS — Je n'ai pas de patron.

GRIEVE — C'est votre erreur. Vous devriez plutôt reconnaître que vous en avez plusieurs. Les professeurs et les élèves qui sont sortis parce qu'ils ne se sentaient pas respectés dans leur maison, les ouvriers à qui vous avez fermé les portes des chantiers. Ce sont eux vos patrons. Sans eux vous ne seriez personne. C'est cela que vous avez oublié et Chénier n'existe plus. Vous non plus, vous n'existez plus. Sans Louvigny vous ne seriez même plus là. Il n'aurait qu'à lever le petit doigt et le Premier ministre vous balaierait comme une écorce de bois mort. Et je ne suis pas certain que Louvigny ne lèvera pas le petit doigt très prochainement.

RÉGIS — Que vient faire Louvigny dans ce conflit?

GRIEVE — Mais il est le principal conseiller du Premier ministre et le gouvernement actuel tient à maintenir à tout prix la paix sociale dans l'État. Louvigny a eu ce soir des entretiens avec le chef de notre centrale. Sans cela, rien ni personne ne m'aurait amené ici.

RÉGIS — Mais j'occupe mon poste, monsieur, à la suite de contrats légaux dûment signés, que même le Premier ministre ne peut ignorer.

GRIEVE — Vous n'êtes que le sous-produit d'un arrêté en Conseil, monsieur. Mais la Chambre des députés pourrait légiférer demain matin et vous retirer les pouvoirs dont vous avez abusé trop longtemps.

RÉGIS — La mode n'est plus aux lois spéciales dans le domaine du travail. Je reconnais que les syndicats représentent une certaine force dans l'État et que certaines de vos actions contraignantes peuvent avoir leur poids. Les hommes comme vous me font penser à certains chefs d'entreprise ambitieux et peu scrupuleux qui détiennent par la force des choses ainsi que par des moyens abusifs une certaine fraction du pouvoir gouvernemental.

GRIEVE — Je ne suis pas ici pour entreprendre des dissertations sur les modalités de la démocratie. En tant que chef des travailleurs, je dois agir. Et mon action est habituellement directe.

RÉGIS — Ne me parlez pas d'action directe après m'avoir appris que votre état-major a déjà eu des entretiens avec Louvigny.

GRIEVE — Mon syndicat possède suffisamment d'autonomie pour ne pas tenir compte de ces entretiens.

RÉGIS — Il n'y a pas une heure encore, mes vrais adversaires m'étaient connus. Il y avait vous et De Guise. Je suis présentement forcé de reconnaître que je suis aussi aux prises avec des inconnus, des marchands de terreur qui se nomment les Brigades d'Octobre. Cela fausse tout.

GRIEVE — Je suis au courant des menaces qu'elles vous ont faites, mais les travailleurs y sont totalement étrangers. Les travailleurs ne terrorisent personne, ils sont plutôt terrorisés par ceux qui les exploitent. Et nos moyens de pression sont connus de tout le monde et pratiqués au grand jour.

RÉGIS — J'allais vous dire, Grieve, que l'intervention des Brigades d'Octobre a quelque peu embrouillé mes vues sur la situation qui nous préoccupe mutuellement, même si depuis plusieurs heures, plusieurs jours, je souhaitais plus que tout votre présence dans ce bureau. Mais je m'efforcerai de les oublier, de n'en tenir aucunement compte si vous pouvez me garantir que vous n'êtes pas ici pour perdre votre temps et me faire perdre le mien.

GRIEVE — D'après Sapo, vous aviez des propositions à me faire, je suis prêt à vous écouter. C'est déjà beaucoup.

RÉGIS — J'ai des conditions à poser à vos syndiqués pour leur retour au travail. Elles sont discutables et peuvent être nuancées mais pas contournées ni rejetées. Si vous croyez qu'à deux nous pouvons les rendre viables...

GRIEVE — Why not? Pour ce qui est de les accepter, il faudra convoquer une assemblée générale, et ce serait « vox populi, vox dei ».

RÉGIS — Ce vote peut être pris dans les vingt-quatre heures?

GRIEVE — Si vos conditions sont raisonnables, oui.

RÉGIS — Est-ce que la reprise du travail de vos membres, dès l'heure où j'ouvre le chantier, est conditionnée par le retour au travail des enseignants?

GRIEVE — Pour l'instant nous faisons front commun mais nous n'appartenons pas aux mêmes centrales et il n'est pas dit qu'un vote de notre assemblée ne nous forcerait pas à réviser nos engagements. Nous considérons les enseignants comme des travailleurs mais nous pouvons reconnaître en même temps que les problèmes des ouvriers ne sont pas les leurs. Nous devons faire des alliances dans certaines situations mais lorsque ces situations changent il nous faut songer à nos intérêts et parfois rompre ces alliances. Autrement dit nous ne favorisons pas le mariage mais nous permettons le concubinage aussi longtemps qu'il reste heureux.

RÉGIS — Je n'ai pas ce genre d'alliance à vous proposer.

GRIEVE — Présentez vos conditions, je verrai si elles sont valables.

RÉGIS — Vous avez des ententes que j'ignore avec Louvigny?

GRIEVE — No comments.

RÉGIS — Il serait bon que je le sache.

GRIEVE — I repeat: no comments.

RÉGIS — Bon. Très bien! La masse salariale impliquée dans l'agrandissement et les rénovations de Chénier est assez importante, je crois, pour que vous teniez à reprendre le travail et à parachever l'œuvre.

GRIEVE — De bons ouvriers ont droit à de bons salaires.

RÉGIS — Incontestable.

GRIEVE — Et sans ouvriers pour les construire, il n'y aurait pas d'institutions comme Chénier, il n'y aurait pas de théâtres, d'habitations, d'usines ni de villes. Il n'y aurait pas de ponts, ni d'aéroports, ni de pays.

RÉGIS — Cela aussi reste incontestable. De même encore que je trouve incontestable que tout administrateur public se doit d'enrayer le gaspillage de l'argent des contribuables qui lui a été confié.

GRIEVE — Irréfutable, sir.

RÉGIS — Mais cela existait à Chénier! C'est la raison pour laquelle j'ai fermé les chantiers.

GRIEVE — Inévitable, sir. Les architectes, les contracteurs...

RÉGIS — Les délégués de chantiers, les chefs syndicaux, les ouvriers embauchés d'une façon discriminatoire, tous participaient au coulage de sommes d'argent considérables qui auraient doublé les coûts de construction si je n'avais pas mis un frein aux ralentissements de travail et aux listes de salaires gonflées de noms d'ouvriers qui n'existaient pas.

GRIEVE — Très discutable.

RÉGIS — Vous n'êtes pas un enfant, Grieve, loin de là, et je n'ai pas besoin de vous ouvrir mes dossiers pour vous fournir des preuves que vous ne pourriez pas nier.

GRIEVE — Ce sont les ouvriers que vous punissez au lieu des architectes, des ingénieurs et des contracteurs qui eux peuvent toujours faire leurs profits ailleurs sur d'autres chantiers.

RÉGIS — Vous ne pouvez pas nier qu'il y avait connivence entre les deux paliers. Connivence criminelle, Griève. Les deniers du peuple restent les deniers du peuple et ni vous ni moi n'avons le droit ou le privilège de les manipuler à notre profit. Sur ce point, je suis certain d'avoir l'appui total du gouvernement.

GRIEVE — Vous êtes un homme moral, sir, le gouvernement aussi est moral, le système ne l'est pas.

RÉGIS — Tout système qui tolère l'amoralité dans le domaine de l'administration publique est à rejeter.

GRIEVE — La démocratie est comme une belle femme: parée de vertus, pourrie de vices. Les travailleurs ne sont pas malhonnêtes lorsqu'ils réclament de meilleurs traitements, même de la part du gouvernement. Personne ne peut les en blâmer. When the money is there, take it. Because if you don't somebody else will do.

RÉGIS — Je crains bien de ne pas trouver de terrain d'entente avec vous si vous restez sur ces positions.

GRIEVE — Dans le monde syndical nous avons l'habitude de voir les choses d'une façon réaliste. Nous ne vivons pas comme vous dans les nuages.

RÉGIS *hausse le ton* — Est-ce vivre dans les nuages que de rechercher la justice et la paix et l'intégrité dans les relations de travail?

GRIEVE — Oui.

RÉGIS — Alors vous pouvez vous retirer, Grieve, je ne vois pas sur quel terrain d'entente nous pourrions nous rencontrer. Nous avons de la vie des conceptions diamétralement opposées et incompatibles.

GRIEVE *se lève* — I feel sorry for you, sir.

RÉGIS *se lève aussi* — Et moi de même... Vous aviez des demandes précises à formuler lorsque vous avec décidé de me rendre cette visite?

GRIEVE — Quelques-unes.
RÉGIS — J'aimerais quand même les connaître.
GRIEVE — Une révision complète de la grille des salaires afin de la rendre adéquate à nos besoins. Nous avons fixé une moyenne générale d'augmentation de douze pour cent.
RÉGIS — Je n'aurai pas les crédits suffisants. Je puis vous en offrir neuf point cinq. Pas une fraction de plus. Et encore, je vais à l'encontre des décrets.
GRIEVE — Convenu. Je vous fais cette première concession.
RÉGIS — Que voulez-vous d'autre?
GRIEVE — Dès que les deux parties conviendront d'un retour au travail, ce sera avec la promesse formelle qu'il n'y aura pas de représailles contre les quatorze ouvriers que vous avez accusés à tort de sabotage au début du «lock-out».
RÉGIS — Convenu. À condition d'un retour massif d'ici vingt-quatre heures... Je les ai accusés avec preuves à l'appui mais je n'ai pris contre eux aucun recours légal et il n'est aucunement dans mon intention d'en prendre. Autre chose?
GRIEVE — Tous les salaires perdus seront remboursés à tous les ouvriers, sans exception, que vous avez privés de travail et de gagne-pain depuis la fermeture du chantier.
RÉGIS — Selon les anciens tarifs?
GRIEVE — Oui.
RÉGIS — Convenu. Mais toujours à condition qu'ils reviennent sur les chantiers dans les vingt-quatre heures.
GRIEVE — Au fond ils ne demandent rien d'autre que d'exercer leur métier.
RÉGIS — Mais ils auront à le prouver. Car il est bien spécifié dans cette entente que nous négocions présentement de gré à gré, que tout syndiqué qui se rendra délibérément coupable d'un arrêt de travail

sera immédiatement congédié et remplacé. Et cela d'ici le parachèvement complet de tous les travaux.

GRIEVE *hésite, puis sourit* — Oui, cela me paraît acceptable. Ce n'est qu'une question de formalité.

RÉGIS — C'est une question fondamentale.

GRIEVE — Vous voyez qu'en faisant certains compromis de part et d'autre nous pouvons peut-être en arriver assez rapidement à une entente de principe.

RÉGIS — Tant que nous n'en serons pas venus à une entente formelle, nos présentes discussions ne vaudront rien d'autre que du vent.

GRIEVE — Vous êtes très pressé et nerveux à ce que je vois.

RÉGIS — Pressé vous l'êtes aussi, même si vous ne le montrez pas. Quant à ma nervosité elle est due à des sources d'inquiétude qui vous sont étrangères. N'y faites donc aucunement attention... Nous en arrivons maintenant à la question des délégués de chantiers. Pour que nous nous entendions parfaitement bien et pour que j'aie les garanties dont j'ai besoin contre d'éventuels arrêts de travail et la discrimination dans l'embauche, leur rôle ou leurs pouvoirs seront forcément définis autrement dans une entente signée par les deux parties.

GRIEVE — Ce qui signifie?

RÉGIS — Qu'ils n'auront d'autorité d'aucune sorte sur les travaux, qu'ils s'acquitteront scrupuleusement des tâches précises qui leur seront confiées pour justifier leurs salaires, qu'ils seront disqualifiés de leur titre dans tous les cas où ils exerceront des contraintes auprès des contractants et des ouvriers ou dès qu'il y aura preuve contre eux d'abus de fonction et de pouvoir ou d'intimidation auprès de qui que ce soit. Ils perdront toute autorité sur les nouveaux employés qui pourront très bien appartenir à une autre centrale que la vôtre. En ce qui concerne les problèmes de cotisation, dans ces derniers cas, la formule Rand s'appliquera.

GRIEVE, *gouailleur* — Et rien d'autre que cela?

RÉGIS — Si. Il leur restera comme fonction de vérifier les cartes de membres en règle et de s'assurer de la perception des cotisations, de voir à ce qu'il n'y ait aucune irrégularité commise par l'administrateur au niveau du régime des rentes, des fonds de pension et de la perception des impôts. De plus, ils auront le devoir et aussi la responsabilité de s'assurer que les normes de sécurité prévues par la loi des accidents de travail soient à cent pour cent respectées aussi longtemps que le chantier sera en opération.

GRIEVE — Ce qui revient à dire que nos futurs chefs syndicaux deviendraient ni plus ni moins que des bedeaux.

RÉGIS — Ce qui signifie que c'est à ce prix seulement que la paix règnera sur les chantiers et que le travail sera de rigueur. Vous devrez donc remplacer vos fiers-à-bras, chez qui vous voyez déjà l'avenir prometteur de chefs syndicaux, par des hommes honnêtes et consciencieux qui n'auront plus à dicter à qui que ce soit, par la force et par la peur, les tactiques abusives et illégales qui rapportent à ceux qui les mettent au point des dividendes frauduleux et criminels. Vous aurez trente jours pour le faire.

GRIEVE — Comment appelez-vous cet endroit du parcours où deux ennemis qui doivent se rencontrer et s'entendre, trébuchent?

RÉGIS — La pierre d'achoppement.

GRIEVE — This is it, sir. Comme nous ne reconnaissons pas les mêmes critères de moralité que vous, nous ne pouvons aveuglément rejeter le système existant pour nous lancer dans l'aventure d'un idéaliste dément. Les délégués de chantiers, sir, forment notre colonne vertébrale de combat.

RÉGIS — Quant à moi, je les considère comme autant de cailloux dans l'engrenage.

GRIEVE — Vous ne croyez pas qu'il est préférable qu'une roue d'engrenage broie des cailloux plutôt que des hommes?

RÉGIS — Oui. Mais à condition que ces hommes soient sans reproche. Ce qui n'est pas le cas de votre troupe de délégués.

GRIEVE — Connaissez-vous leur force dans le contexte social actuel? Savez-vous que c'est contre eux que vous jouez votre poste et votre avenir?

RÉGIS — Je risque tout dans la situation actuelle.

GRIEVE — I see... Je ne sais pas quand nous nous reverrons et si nous nous reverrons. Mais comme Louvigny a rendu possible ce premier rapprochement, je pense qu'il ne sera pas satisfait des résultats. Vous voudrez sans doute conserver votre poste et préserver votre ambition, c'est naturel, alors il vous sera demandé de mieux comprendre la situation qui nous met face à face et de la résoudre d'une façon prudente en évaluant avec précision la teneur de vos exigences démesurées... Dans les vingt-quatre heures qui viennent, j'ignore ce qui se produira... Je me retire...

RÉGIS — Grieve! Votre devoir est de convoquer maintenant une assemblée de vos membres et de les mettre au courant de nos entretiens. Mais je sais que vous ne le ferez pas. Dans votre optique, des centaines d'ouvriers sont moins importants qu'une poignée de canailles qui règnent en maîtres et qui sèment la terreur sur les chantiers.

GRIEVE — I must leave now, sir... Lorsque je reviendrai ici, je sais que je négocierai avec votre successeur et que nous en viendrons vite à une entente raisonnable.

RÉGIS — Peut-être mais n'en soyez pas si certain.

Grieve le regarde une dernière fois et sort.

NEUVIÈME TABLEAU

À peine Grieve est-il sorti que Sapo entre. Il est maintenant empressé, nerveux.

RÉGIS, *dont l'attitude a changé* — Tu as pris toutes les mesures de sécurité?

SAPO — Oui. Au moment où je te parle, Locuste, Myra et toi-même, êtes protégés et à l'abri de tout danger.

RÉGIS — Et Cybèle?

SAPO — Son signalement a été donné à tous les corps policiers. Aussitôt retrouvée elle sera placée en lieu sûr.

RÉGIS — Merci encore, Sapo.

SAPO — Je me suis aussi permis de téléphoner à Locuste et à Myra.

RÉGIS — Comment sont-elles?

SAPO — Locuste me paraît de plus en plus confuse. Elle est perdue dans tout cela.

RÉGIS — Elle retrouvera son équilibre.

SAPO — Seulement si elle se sent de nouveau dévorée par le feu d'une passion. Et cela reste impossible parce que tu l'habites encore.

RÉGIS — Impossible... Qu'est-ce qui rend impossible en cette vie d'écarter l'irréparable? Qu'est-ce qui nous disjoint, Sapo? Qu'est-ce qui crée ces barrages ou ces fossés d'incompréhension entre les êtres, les classes, les générations? Entre un homme et une femme?

SAPO — Il se fait un peu tard pour répondre à tes questions.

RÉGIS — Nous faisons partie de masses terrifiantes de robots qui ne désirent plus qu'une chose, parler sans avoir rien à dire, protester, contester, conspirer sans avoir appris au préalable à écouter... Toi-même, Sapo, tu ne sais plus écouter comme avant. Et Locuste aussi a cessé depuis longtemps d'entendre ce que j'avais à lui dire...

SAPO — C'est que moi je te connais tellement mieux qu'autrefois. Quant à Locuste, elle n'a plus que l'orgueil d'une femme dont le premier besoin est de faire face à un orgueil plus grand que le sien pour avoir encore l'impression d'aimer... Que pourrais-je te dire d'autre à cette heure?

RÉGIS — Depuis que Grieve est venu je suis certain qu'un événement capital se prépare.

SAPO — Pourvu que ce ne soit pas le pire, ni l'irrémédiable.

RÉGIS — Oui, pourvu que ce ne soit pas la fin de mes derniers espoirs. Qui suis-je, Sapo? Au tout début, je voyais clair dans tout cela et je savais parfaitement où je me situais dans cette histoire. Mais la nuit est venue, et avec elle ont surgi en moi ses compagnes inséparables: le doute devant l'absurdité de la situation, l'incertitude devant le bien-fondé de ma propre cause.

L'on sent ici que le ton a changé et que les deux amis en sont à leur dernier face à face.

SAPO — Comme moi, tu es un peu fatigué, Régis, mais je te retrouve tel que je t'ai toujours connu. Depuis nos dernières années de collège. Tu as cinquante-cinq ans mais tu n'as pas vieilli. Sensible aux secousses du temps et à la misère des hommes, tu cherches encore désespérément à communiquer aux autres ton idéal de fierté, de dignité, de commisération... Tu te souviens à vingt ans lorsque nous menions la guerre en Europe? Il a fallu que tu te retrouves à la première ligne de feu avant de prendre conscience que tu étais là pour tuer des hommes. Tu as tout à coup considéré ton métier comme celui d'un assassin. Et tu as plusieurs fois risqué ta vie pour tenter de récupérer dans le charnier infernal les corps déchiquetés de tes compagnons ou ceux-là mêmes de tes ennemis. À la libération de la Hollande, tu as pleuré pendant trois jours dans les rues de Rotterdam parce que tu n'étais pas arrivé à temps pour sauver la vie d'une fillette aux cheveux blonds, transpercée de balles, qui t'était totalement étrangère et inconnue.

RÉGIS — Cette mort, Sapo, était la plus lourde accusation que l'on pouvait porter contre les camps ennemis. Autant celui des Boches agresseurs que celui des justiciers d'un Monde qui se disait Libre.

SAPO — Rappelle-toi, Régis. Avant de rentrer au pays, tu as répudié Cynthia, cette belle et jeune Anglaise qui t'aimait de toute son âme à Londres et qui t'avait attendu, croyant que tu l'aimais aussi. Mais tu n'avais plus qu'une idée en tête: expier pour tes prétendus crimes et pour ceux des autres.

RÉGIS — Comment aurais-je pu prétendre vivre autrement?

SAPO — L'Europe et l'Asie étaient couvertes de cadavres mais tu ne voyais le sang que sur tes seules mains et il n'y avait plus d'issue pour toi que de donner ta vie à Dieu afin de laver ta conscience souillée d'horreurs. Tu n'es donc revenu que pour entrer dans les Ordres. Pendant dix ans tu as suivi les enseignements maléfiques d'Ignace de Loyola pour devenir Jésuite accompli avec ce besoin maladif en toi de répandre ta charité sur le monde et de sauver des âmes.

RÉGIS — Et je l'ai fait avec la sincérité la plus profonde et dans le plus grand dépouillement de moi-même. Tu ne peux pas le nier!

SAPO — Je n'en ai jamais douté. Mais ta quête des âmes a pris une orientation nouvelle le jour où la jeune Locuste s'est trouvée sur ton chemin. Son âme exceptionnelle était plus troublante et plus belle que toutes les autres. Son corps aussi était beau, d'autant plus qu'à vingt ans, la faute et le repentir ajoutent une étrange lueur aux yeux de celles qui en pleurent. Partagé entre deux absolus, tu as sacrifié celui de ton salut pour devenir la bouée de sauvetage de Locuste, te disant sans aucun doute que son âme avait plus de poids que la tienne.

RÉGIS — Ce jour-là, Sapo, l'amour humain me sembla se confondre à celui de Dieu.

SAPO — C'est ainsi d'ailleurs que les choses temporelles prirent aussi des dimensions divines. Mais au cours de cet apprentissage de vie sociale et familiale, en même temps que tu prenais conscience de tes responsabilités de mari et de père de famille, tu mettais sur pied une agence d'importation très rentable et la culpabilité t'assaillit encore d'une façon cruelle. Même aux heures les plus heureuses et les plus prospères, tu as continué d'être tourmenté et déchiré, éprouvant toujours ce besoin profond, inné, de t'immoler pour les autres.

RÉGIS — Est-ce bien utile de faire en cette heure grave, cette relation, qui me semble pénible, de ma vie?

SAPO — Tu demandais à faire de la clarté en toi. Je ne sais pas si cela est utile mais un homme aussi seul que tu le seras dans quelques moments, doit savoir pourquoi il est seul. Quoi qu'il advienne, tu restes toujours conséquent avec toi-même, prêt au sacrifice et à l'immolation. Rappelle-toi encore, lorsque tu as vu que tu réussissais en affaires, que la sécurité matérielle de Locuste et de tes enfants a été assurée, tu as liquidé ton entreprise pour te lancer dans l'enseignement. Et c'est alors que Myra est apparue dans ta vie. Tu as très vite tourné le dos à l'enseignement parce qu'une autre fois tu venais de te trouver un devoir, de te créer de nouvelles obligations, et tu as fondé ta propre maison en valeurs immobilières dont tu as rapidement fait une réussite. Mais te retrouvant assailli par tes remords obsessifs, tu as accepté parallèlement la présidence de trois commissions d'éducation. Ainsi, tu pouvais veiller en même temps à la survivance de ta famille et à l'aisance de ta maîtresse tout en sauvegardant ton idéal impitoyable. L'affaire Chénier se présente. Deuxième liquidation de tes entreprises en pleine prospérité. C'est l'aventure qui recommence. La Grande Aventure du salut et de l'expiation. Je crois du plus profond de moi-même que tu es réfractaire au bonheur et au repos. Tu as sans répit sapé en toi le besoin légitime de la stabilité et du contentement de soi. Tu ne t'aimes pas, Régis et pour que ta vie ait quand même un sens, tu la saccages sous prétexte d'altruisme humanitaire. Tu as la vocation de la sainteté mais il n'y a plus aucun rapport de nos jours et en ce monde entre la sainteté et le martyre. La seule alternative actuelle, Régis, c'est la possession des choses ou l'anéantissement de soi.

RÉGIS, *ébranlé* — Je n'ai jamais eu la tentation de m'enlever la vie au nom de quoi ou de qui que ce soit.

SAPO — Mais ton existence même, depuis plus de trente-cinq ans, est une pure démonstration de dépossession qui risque d'être tragique. Dieu est mort depuis plusieurs lunes, l'humanisme que tu as tant chéri et que tu chéris encore comme un noyé qui s'accroche à une moitié de radeau pourri est mort aussi, l'amour même est mort et l'espérance et les joies profondes du cœur agonisent. Le monde est malade, Régis, ton pays est malade, il s'use à s'autodétruire comme si depuis des siècles il avait toujours éprouvé le besoin d'asseoir ses aspirations sur des cendres. Nous formons peut-être le seul peuple au monde, composé d'hommes et de femmes qui éprouvent, par cycles, le besoin morbide de s'entretuer pour survivre.

RÉGIS, *très accablé* — Peut-être, Sapo, peut-être. Mais maintenant que nous avons accepté de nous regarder dans le miroir de la destinée et que nous y avons reconnu notre propre visage, il est l'heure de nous redresser tous ensemble pour faire face aux réalités de l'évolution mondiale. Tout en conservant les essences mêmes de nos origines, nous formons une nation transplantée mais homogène, consciente de sa vocation spirituelle et nous nous inscrirons demain dans un mouvement créateur qui nous poussera à nous surpasser sans nous ostraciser. C'est l'heure, Régis, c'est l'heure fulgurante de devenir exemplaires.

SAPO — La grandeur est parfois aussi navrante que tragique. Retombe sur terre, Régis, sur cette terre morne et débile et essaie de voir les choses dans leurs vraies perspectives. Tu ne pourras te sortir du bourbier actuel qu'en faisant appel à ton esprit pratique et réaliste qui t'a malheureusement trop souvent manqué. C'est le seul ami que tu aies qui t'en supplie. Nous avons été merveilleusement jeunes ensemble, Régis. Nous avons découvert ensemble une passion pour la poésie et les sciences humaines. Ensemble nous avons été des croyants et nous avons même prétendu être voyants. Notre jeunesse, nous étions prêts ensemble à la sacrifier pourvu que ce soit pour une noble cause. Je me rappelle les soirs de désespérance au fond des tranchées, tu me disais cet étrange poème de Péguy dont il me revient quelques vers: « Heureux ceux qui sont morts dans une juste guerre »... « Heureux ceux qui sont morts pour des cités charnelles... Qui sont l'âme et le corps de la Cité de Dieu »... Tu répétais souvent aussi, dans tes moments d'impuissance et de regrets, que nous étions une génération de sacrifiés, que nous n'avions que le talent voulu pour accomplir un certain nombre de choses mais que grâce à nous, ceux qui nous suivraient auraient du génie. Nous étions du même cru toi et moi et nous croyions avoir scellé entre nous un pacte de complicité pour la vie. Nous faisions erreur. Nos routes se sont tout à coup séparées et nous n'avons pas pu vieillir de la même façon. Moi, j'ai choisi la pente douce des glacis pendant que tu continuais de t'acharner sans relâche à te couronner d'épines sur le sentier sinueux qui frôle les abîmes, toujours aimanté par une certaine vision de Dieu et une certaine conception du salut. La vieille crapule que je suis devenue reconnaît en toi l'homme d'exception que tu es resté. Mais il ne peut s'empêcher de te répéter que ce qui est exceptionnel, noble et généreux fait très mauvais ménage avec la bêtise humaine.

RÉGIS — J'ai écouté sans presque répliquer tout ce que tu viens de me remémorer, j'ai entendu avec émotion tes appels à la sagesse et au compromis et je dois te paraître bien entêté de ne pas partager tes vues d'ensemble sur la vie et sur cette triste particularité qu'est Chénier... Aussi, je vais te demander de me laisser seul, Sapo... C'est lorsque je suis seul, Sapo, que j'éprouve la sensation qu'il me reste encore une vocation en cette vie.

SAPO — Je vais te laisser seul mais pas avant de t'avoir prévenu de ce qui va suivre. Lorsque je serai parti, lorsque tu auras finalement perdu la bataille, tu auras aussi perdu Locuste. Et tu seras encore plus seul.

RÉGIS — Je n'ai pas encore perdu la bataille et il me restera Myra.

SAPO — C'est vrai. Mais il y a dix minutes, au téléphone, il m'a semblé que cela aussi était ébranlé, chancelant.

RÉGIS — Myra continuera d'avoir la foi.

SAPO — Mais pourra-t-elle combler le vide atroce qui se sera creusé en toi? Pourra-t-elle t'alimenter de vertiges et de magie? Entretenir la flamme précieuse à laquelle tu dois te brûler pour être heureux?

RÉGIS — Je l'aime et je crois en elle. Rien ne peut me désespérer à tout jamais.

SAPO — Adieu, Régis... J'aurais voulu poursuivre cette longue veillée avec toi mais c'est au-delà de mes forces.

Et Sapo se retire définitivement.

DIXIÈME TABLEAU

Un rire d'enfant, plus précisément le rire de Cybèle alors qu'elle avait douze ans, se fait entendre au loin, en se rapprochant ponctué de quelques accords de guitare. Paraît Cybèle, portant un immense ballon bleu dans ses bras. Elle s'arrête essoufflée près de son père.

RÉGIS — Mais où as-tu pris ce ballon?

CYBÈLE — Dans le grenier. Au fond d'un panier parmi de vieux rideaux. Et tu sais mon chéri, je l'ai gonflé moi-même. J'ai dû me vider les poumons.

RÉGIS — Tu ne m'embrasses pas?

CYBÈLE — J'aimerais bien, mais je ne le peux pas.

RÉGIS — Pourquoi donc?

CYBÈLE — À cause du ballon. Il est beaucoup trop léger. Si je le laisse aller, il va s'envoler et je ne le retrouverai plus. À la hauteur où nous sommes, tu te rends compte?

RÉGIS — Mais en le tenant comme ça contre toi, tu ne crains pas aussi de t'envoler avec lui?

CYBÈLE — Est-ce que tu aurais de la peine si je m'envolais dans le ciel?

RÉGIS — Beaucoup oui. Et nous ne pourrions plus revenir l'été à notre « Nid d'Aigle » sans toi.

CYBÈLE — Pourquoi as-tu donné ce nom à notre maison de campagne?

RÉGIS — Parce qu'elle est construite en haut d'une falaise, comme un nid d'aigle... et qu'elle domine le reste du monde dans son isolement.

CYBÈLE — C'est une bonne idée, mon chéri... *(Il pose le ballon par terre, s'approche de lui et se blottit dans ses bras.)* Tu n'aimes pas beaucoup le reste du monde, hein?

RÉGIS — Je n'ai pas dit ça.

CYBÈLE — Tu es tellement différent du reste du monde.

RÉGIS — Mais non. Tu me vois différent de l'homme que je suis et ce n'est qu'un effet de ton imagination de petite fille.

CYBÈLE — Ce n'est pas bien de voir le monde si grand et si beau?

RÉGIS — Au contraire, c'est très bien, mais...

CYBÈLE — Tu as souvent habité des nids d'aigle?

RÉGIS — J'en ai visités quelques uns mais il y a longtemps.

CYBÈLE — Et c'est pour ça que tu as une préférence marquée pour les hauteurs?

RÉGIS — J'ai parfois une préférence pour la solitude... Après la guerre, j'ai voyagé en France avec Sapo et nous avons visité des petites villes du moyen-âge bâties en hauteur... Je me souviens de l'une d'elles isolée en nid d'aigle au sommet d'une montagne. Il n'y avait que des petites rues étroites et escarpées, couvertes de voûtes ou traversées par des escaliers. Elle s'appelait Èze. Du sommet, l'on pouvait voir la Méditerrannée et les caps de la Riviera. Comme au moyen-âge, les gens qui y habitaient pouvaient voir de partout venir les Barbares qui auraient tenté de les attaquer. Alors, emmurés dans leur ville, ils prenaient les mesures appropriées pour se défendre et se protéger. Du sommet de cette ville jusqu'au bord de la mer descendait un sentier abrupt où jadis le grand philosophe allemand Nietzsche s'est promené en même temps qu'il préparait une partie importante de son œuvre.

CYBÈLE, *encore blottie contre lui, le regarde* — Continue.

RÉGIS — Mais je n'ai plus rien à dire sur les nids d'aigle.

CYBÈLE — J'aime que tu me parles des choses que tu as vues ailleurs dans le monde.

Paraît Locuste qui devait alors avoir trente-cinq ans tout au plus. Elle est encore éclatante de beauté dans sa tenue estivale. Porteuse de soleil, elle porte aussi en elle les germes profondément ancrés de l'incertitude. Les années et les enfants ont voulu qu'elle enfouisse de plus en plus en elle la passion qu'elle éprouve pour Régis. Dès qu'elle aperçoit sa fille dans les bras de ce dernier, elle s'immobilise et en une fraction de seconde se compose une contenance faite de dignité, de détachement et de jalousie rentrée.

LOCUSTE — Il est très bien de se nourrir l'esprit d'histoires merveilleuses, mes chéris, mais il ne faut pas non plus négliger son corps. Le dîner est servi sur la table de la véranda.

CYBÈLE, *à son père* — Tu as faim toi?

RÉGIS — Bien sûr.

CYBÈLE *l'embrasse* — Dommage, je t'aurais bien écouté encore de longues heures et je me serais passée de dîner.

Elle se détache de lui lentement, ramasse son ballon, s'éloigne, sourit à sa mère en la croisant et sort.

RÉGIS — Nous aurons une très belle soirée, n'est-ce pas, mon amour?

LOCUSTE *sourit difficilement* — Je le crois.

RÉGIS — Quelque chose t'inquiète?

LOCUSTE — Oui, quelqu'un m'inquiète. Je n'arrive plus à faire sortir Timor de sa chambre. J'y suis montée tout à l'heure pour le trouver sur son lit, le visage mouillé de larmes. Je l'ai consolé, caressé, questionné, je n'ai pas pu en tirer un seul mot. Tu dois maintenant t'occuper de lui, Régis, moi je ne le peux plus. Il est perdu... oui perdu.

Et tout en s'éloignant, nous entendons sa voix qui répète en écho:

VOIX DE LOCUSTE — C'est un enfant perdu... Il n'a que treize ans et c'est un enfant perdu... Perdu...

Régis reste figé sur place encore perdu dans ses souvenirs. Et ce sont de courtes scènes de son passé plus ou moins récent qui maintenant se suivent en succession.

SAPO — Les Brigades d'Octobre ont réussi à faire passer un communiqué par des stations radiophoniques prévenant la population qu'elles agiraient violemment d'ici minuit dans l'intérêt des travailleurs de Chénier qu'elles jugent spoliés et méprisés par un fasciste et un tyran.

MYRA — Tu est l'homme le plus admirable qui ait jamais traversé ma vie mais tu as un très grand défaut.

SAPO — Moi, j'ai choisi la pente douce des glacis pendant que tu t'acharnais sans relâche à te couronner d'épines sur le chemin sinueux qui frôle les abîmes, toujours aimanté par une certaine vision de Dieu et une certaine conception du salut.

LOCUSTE — Tu es toujours prêt à tout assumer, c'est vrai, mais tu ne ressuscites personne. Tu es hanté par la tentation du miracle... Si seulement tu te contentais de vivre et d'être heureux, tu ferais beaucoup plus pour les autres. Cela, ta maîtresse Myra ne te l'a jamais dit ?

MYRA — Tu éprouves plutôt comme un besoin démesuré de te racheter. Et si tu n'agissais pas de cette façon, tu ferais toi aussi comme ton fils, tu irais au-devant de ta mort.

CYBÈLE — Sois courageux jusqu'au bout, tu vas gagner. Je le sens d'instinct. Et ce n'est pas ridicule un homme qui lutte pour un idéal à cinquante-cinq ans... Tu attends qu'ils viennent à toi, ils vont venir à toi, ne te laisse pas user, le temps jouera maintenant en ta faveur.

SAPO — Retombe sur terre, Régis. Sur cette terre morne et débile et essaie de voir les choses dans leurs vraies perspectives. Tu ne pourras sortir du bourbier actuel qu'en faisant appel à ton esprit pratique et réaliste.

LOCUSTE — Tu demeures ce que tu as toujours été: un défroqué. Un défroqué de l'armée, un défroqué des Ordres, un défroqué du monde des affaires et un défroqué de la vie conjugale. Tu jugeais ton fils et lui aussi te jugeait. Il a eu le temps avant cette soirée tragique, de me raconter de quelle manière tu l'avais balayé de ta vie. Et avant même qu'il ne soit retrouvé baignant dans son sang, il était déjà condamné, il était déjà mort.

Des accords de guitare éclatent et Régis, secoué, perdu, essuie de ses deux mains les sueurs qui perlent sur son visage.

ONZIÈME TABLEAU

Ravagé par le chancre du doute qui le dévore, Régis semble maintenant perdu, écrasé par les événements. Il ne sait plus très bien ce qu'il doit faire dans ce bureau où il se sent de plus en plus emmuré. Aussi reste-t-il glacé d'effroi lorsqu'il aperçoit un jeune étudiant, debout, immobile dans l'entrée et dont la ressemblance avec Timor est plus que troublante. Ce jeune étudiant prénommé Flip, a cependant un comportement tout à fait différent de celui de Timor. Dès la fraction de seconde durant laquelle Régis a fait la découverte de Flip, une note de musique aiguë, soutenue pendant toute la scène qui suit, se fait entendre.

RÉGIS, *après une très longue hésitation, fixant Flip d'un regard étrange* — Qui es-tu, toi?... Que viens-tu faire ici cette nuit?

FLIP, *timide* — Je m'appelle Flip... Je suis un élève de Chénier.

RÉGIS — Et que viens-tu faire à cette heure? Comment es-tu entré?

FLIP — Je connais bien l'école... Je la fréquente depuis trois ans.

RÉGIS — Et je ne t'ai jamais vu, je ne te connais pas!... Ou plutôt, j'ai l'impression de t'avoir déjà vu, mais ça ne peut vraiment être qu'une impression... Flip, dis-tu?

FLIP — Oui.

RÉGIS — Ah!

FLIP — Vous êtes tout seul? Il n'y a personne pour vous aider?

RÉGIS — C'est l'heure, vois-tu... Ils sont... tous partis.

FLIP — Excusez-moi si je me suis permis de...

RÉGIS *le coupe* — Il m'a semblé que c'était parfaitement naturel de te voir tout à coup apparaître, Flip.

FLIP — Je suis délégué par un groupe d'étudiants. Quelques centaines, dont la plupart sont plus jeunes que moi.

RÉGIS — Quel âge as-tu?

FLIP — Dix-sept ans... Ils m'ont demandé de vous rencontrer pour savoir ce qu'il faut faire pour que la grève se règle.

RÉGIS — Comment faire bouger l'immuable veux-tu dire?

FLIP — Nous ne voulons plus rester dehors.

RÉGIS — Je croyais trouver une solution au début du conflit mais il est devenu difficile de s'entendre entre adultes.

FLIP — Nous ne voulons plus que cela dure encore longtemps. C'est peut-être une illusion mais il nous semble que les hommes sont faits pour se parler, s'aider et même s'aimer. Nous sommes présentement quelques centaines à penser de cette façon mais il y en a peut-être des milliers d'autres. Nous ne... comprenons pas... nous ne comprenons vraiment pas pourquoi nous sommes là dans les rues ou à la maison à gaspiller notre temps et notre vie.

RÉGIS — Ce gaspillage a si peu d'importance, Flip, en regard des rouages aveugles qui devraient amener des progrès dans le monde de l'éducation mais qui procèdent surtout à sa décomposition. Il s'agit de savoir si nous allons nous soumettre comme des robots à une planification inhumaine ou nous rebiffer contre des ordonnances vidées de toute préoccupation spirituelle. Ou bien nous passons massivement sous le rouleau compresseur, ou bien nous élevons la tête au-dessus des foules et nous proclamons notre droit fondamental à l'identification, à la personnalisation. Le Gouvernement mise ses efforts sur la décentralisation et l'humanisation des programmes scolaires, mais il faut du temps pour mettre de l'ordre dans tout cela.

FLIP — Je me sens un peu stupide d'être entré chez vous comme ça... Vous avez tous les problèmes à la fois et je m'introduis sans prévenir.

RÉGIS — Mais non, Flip, mais non, ce sont surtout vos problèmes qui sont au cœur de cette histoire. Si seulement tu savais... si seulement tu savais!... Viens. Approche.

Flip hésite, puis s'approche.

FLIP — Vous ne préférez pas que je parte?

RÉGIS — Non. Tout à l'heure... Quel que soit l'âge que nous ayons, nous avons tous quelque chose à accomplir dans cette vie. Chacun d'entre nous vient au monde avec un projet, un choix à faire, un idéal à réaliser. Ce choix, ce projet, cet idéal se cristallise à un moment donné et il se crée en soi un besoin. Un très dur besoin, Flip, que l'on appelle souvent besoin d'absolu. Quête de l'infini. Fascination de ce qui pourrait durer éternellement. Tentation d'être ou de devenir son propre dieu à soi. C'est le germe de la fécondité la plus naturelle et la plus riche, c'est le fil conducteur de la créativité, c'est l'espoir qui ne se dément pas, en un monde meilleur, en une vie belle et heureuse... Chaque enfant, Timor, est un jardin d'amour que chaque homme et chaque femme ont le devoir de soigner et d'embellir chaque jour pour qu'il ne périsse point... Il n'y a pas de malheur qui soit au-delà de nos forces, de détresse qui puisse paralyser la détermination que l'on met à vivre, à continuer, à se transmettre, à se transformer... As-tu déjà rêvé de te métamorphoser en fleur, ou en arbre ou même en jeune fille? D'opérer, Timor, des transmigrations de toi-même en d'autres formes d'êtres existants. Une fleur qui se fait couleur et parfum et qui éclate dans la splendeur du soleil, un arbre frôlé par les vents d'été et dont la cime est percée d'étoiles, une jeune fille devant les premiers reflets de sa beauté en maturation et qui pressent les sortilèges de la volupté et de l'amour... Tu ne dois plus désespérer, Timor, et quel que soit ton mal de vivre, rappelle-toi que je suis là, que je ne te quitte jamais, que je suis ton guide et que la peur n'est qu'un petit morceau de métal froid que tu rejetteras bientôt de ton cœur comme un corps étranger. Ne succombe pas, Timor, à la tentation de la désespérance car ce serait te priver à jamais des grandes joies de ce monde parfois trop beau. Chaque jour je t'apprendrai comment t'en défaire, à respirer, à aimer, à te donner à une entreprise qui en vaudra la peine et qui éloignera de ton cœur tous les démons de l'enfer.

Étreint Flip dans ses bras comme si c'était son fils.

Tu es à l'abri maintenant et tu n'iras plus demain vers la pourriture qui te fait des signes dans la nuit des villes.

FLIP, *qui se dégage sans violence de l'étreinte de Régis mais tout de même apeuré et confus* — Mais pourquoi m'appelez-vous Timor?

RÉGIS *se rend compte tout à coup de ce qu'il vient de faire et de dire* — Oh! excuse-moi, Flip, oui excuse-moi! Il y a eu confusion dans mon esprit. C'est la fatigue sans doute. Mais tu lui ressembles terriblement.

FLIP — À qui, s'il vous plaît?

RÉGIS — Si seulement lui-même t'avait ressemblé!... Timor était mon fils. Un jour, on l'a trouvé crevé, défiguré, cabossé, mort.

FLIP — Je ne savais pas... Je crois que je vais retourner à mes copains.

Le téléphone sonne.

RÉGIS — Tu peux attendre un petit moment, s'il te plaît? *(Va décrocher avec une terrible appréhension à peine dissimulée.)* Allo!

LA VOIX — Ici les Brigades d'Octobre. Nous avons été informés que malgré notre ultimatum vous ne bougeriez pas ce soir. Nous n'avons pas voulu patienter plus longtemps et votre fille a été enlevée. Nous la détenons présentement dans un endroit où personne ne peut la retrouver.

RÉGIS — Je ne vous crois pas.

LA VOIX — Elle va vous parler, alors.

VOIX DE CYBÈLE — Tout va bien, mon grand chéri. Ne te laisse surtout pas impressionner par ces garçons qui ne me font aucunement peur, qui sont plutôt pitoyables à voir avec leurs tristes visages de gamins qui se prennent au sérieux, et va jusqu'au bout de ton projet, sans douter et sans avoir peur, ne te préoccupe pas de moi. Je suis prête à te donner ma vie pour être certaine un seul moment que tu ne dévieras pas de ta ligne de conduite. Adieu, mon grand chéri. Où je suis, je...

Elle n'achève pas. L'on sent que sa voix est étouffée sous la pression d'une main qui l'empêche d'en dire davantage.

LA VOIX, *après un court temps* — Si vous tenez à revoir votre fille, agissez dans le sens que nous avons indiqué et nous la relâcherons vivante et intacte. Vous n'avez plus qu'une heure. Dans quelques minutes les postes de radio diffuseront la nouvelle de l'enlèvement. Prenez les mêmes moyens que nous pour faire savoir à la population que vous avez révisé vos prises de position réactionnaires, capitalistes, rétrogades et provocantes. La vie de votre fille repose entre vos mains.

L'on entend raccrocher à l'autre bout. Régis raccroche lentement à son tour. Ce n'est qu'après plusieurs secondes de stupéfaction qu'il se rend compte que Flip est toujours là.

RÉGIS — Tu vois? Je ne puis rien pour toi et tes compagnons cette nuit. Je ne puis plus rien pour personne, Flip. Les Brigades d'Octobre... Des jeunes garçons et aussi des jeunes filles peut-être. Ils prennent l'innocence en otage croyant que c'est la seule manière de faire évoluer la race humaine dans le sens d'une fraternité idéologique, illusoire, inconditionnelle. Ta visite m'a réconforté un moment, Flip, mais tu vois, je ne peux pas répondre à ta question. Je suis ligoté, emmuré dans une prison sans issue.

FLIP — Vous avez perdu votre fils, vous ne pouvez pas laisser mourir votre fille.

RÉGIS — Elle est tout ce qu'il y a de pur en ce monde... Adieu, Flip.

FLIP, *après une hésitation* — Bonne nuit, monsieur.

Et il sort. La note de musique cesse de se faire entendre. Lentement, Régis va au téléphone et compose le numéro de Locuste comme un automate.

VOIX DE LOCUSTE — Allo!

RÉGIS — C'est moi... Tu sais?

VOIX DE LOCUSTE — Oui. Ils ont atteint la seule chose qui puisse te rendre vulnérable, n'est-ce pas?... Comme s'ils le savaient!

RÉGIS — Combattre contre des hommes, face à face, cela est toujours possible, cela peut même être l'impératif prioritaire de notre vie, mais contre des ombres qui gargouillent quelque part dans la nuit, cela devient insoutenable, Locuste. C'est alors que le combat n'a plus de sens et que l'espoir nous déserte.

VOIX DE LOCUSTE — Ne la laisse pas entre leurs mains car cette fois j'en mourrais, il ne me resterait plus rien.

RÉGIS — Il ne me reste moi-même que peu de temps pour décider de ce que je ferai. Tu n'en mourras point.

VOIX DE LOCUSTE — J'accepte de te perdre pour toujours si tu la sauves.

RÉGIS — J'ignore comment mais je l'arracherai aux bras des ténèbres, j'y parviendrai.

VOIX DE LOCUSTE — Je te fais confiance, mon amour.

RÉGIS — Adieu, Locuste.

Et il raccroche rapidement.

DOUZIÈME TABLEAU

Paraît Louvigny, un petit homme au costume noir, au teint jaune, aux cheveux gris et rares. Il porte des verres fumés et une petite mallette sous son bras. Il s'arrête un moment et dit :

LOUVIGNY — Je suis Louvigny.

RÉGIS — Vous arrivez tard.

LOUVIGNY — Qu'importe. J'ai eu des entretiens avec De Guise et avec Grieve. Et je crois en être arrivé à des conclusions positives.

RÉGIS — J'aimerais surtout savoir si vous possédez un dossier sur les Brigades d'Octobre ?

LOUVIGNY — Oui mais il est mince. Les gendarmeries n'ont que très peu de renseignements sur les éléments qui les composent mais elles en savent suffisamment pour que nous ne prenions aucun risque.

RÉGIS — Mais est-ce que les gendarmeries ne suivent pas déjà une piste quelconque ?

LOUVIGNY — Non. Pas encore.

RÉGIS — Avant l'intervention des Brigades d'Octobre, je ne voyais pas très bien pourquoi le Premier ministre vous avait mêlé aujourd'hui à ce conflit. Les choses ont rapidement changé. Apportez-vous des solutions ?

LOUVIGNY — Oui. Je vous en fais part immédiatement pour approbation. Commençons par De Guise : son influence est prépondérante au sein du corps enseignant. S'il n'en tient qu'à lui, la grève sera terminée dans quelques heures, simple question de formalités.

RÉGIS — Et que dois-je lui céder pour qu'il n'en tienne qu'à lui ?

LOUVIGNY — D'abord pas question d'augmenter les salaires. Enfin, pas d'une manière directe. Mais diminution des heures de cours de seize à douze hebdomadairement.

RÉGIS — Ce qui signifie une embauche très sérieuse de nouveaux enseignants.

LOUVIGNY — Exact. Deuxième condition: participation directe du corps enseignant à l'orientation pédagogique de Chénier et à sa gestion.

RÉGIS — Afin de détruire les structures mêmes de la réforme en cours, rien de moins. Ensuite?

LOUVIGNY — C'est tout. Le retour au travail se fera sans heurt et sans acrimonie et aucune autre réclamation de la part des professeurs ne pourra perturber l'année scolaire en cours. Par contre, lorsque tout sera rentré dans l'ordre et que les activités de Chénier auront repris leur cours normal, De Guise abandonnera la présidence du syndicat pour devenir votre adjoint, en remplacement de Courrier. De toute évidence, c'est pour lui une priorité qu'il ne veut même pas avoir à négocier.

RÉGIS — C'est tellement dans l'ordre des choses! D'abord instigateur de la grève, il laisse tomber du jour au lendemain ses confrères qu'il a dressés contre moi pour devenir mon plus proche collaborateur en qui je devrai placer toute ma confiance et à qui je déléguerai les pouvoirs qu'il jugera bon d'exercer. C'est le cheval de Troie que je fais moi-même entrer dans les bureaux de la direction par la bride, quoi!

LOUVIGNY — Ce n'est pas très alléchant, bien sûr, mais songez que votre fille est présentement en plus mauvaise posture que vous.

RÉGIS *hausse la voix* — Croyez-vous que je puisse l'oublier?

LOUVIGNY — Il peut arriver chez certains hommes que les principes se haussent au-dessus de tout.

RÉGIS — Ma fille est mon principe vital, Louvigny, et c'est vers elle qu'ils sont allés pour fausser le jeu.

LOUVIGNY — Les syndicats n'y sont pour rien, je vous en donne ma parole formelle. Cet enlèvement n'est que l'initiative d'une tierce partie qui n'est aucunement engagée dans le conflit.

RÉGIS — Mais pouvez-vous sérieusement affirmer que cette initiative ne profite pas pleinement à mes adversaires?

LOUVIGNY — Non, bien sûr. Mais songez qu'il ne nous reste que très peu de temps pour trouver une solution positive à l'atroce dilemme dans lequel vous êtes plongé.

RÉGIS — Toute solution qui sapera à jamais mon autorité ici n'aura rien de positif et n'aidera pas le gouvernement.

LOUVIGNY — Le Premier ministre est un homme essentiellement pacifiste. Il ne veut plus de morts. La vie de chaque individu est plus importante que tout. Alors vous n'avez plus le choix, Régis.

RÉGIS — Il n'y a qu'une chose à laquelle vous n'avez pas songé, Louvigny.

LOUVIGNY — Qu'est-ce que c'est?

RÉGIS — Que je cède cette nuit et que par miracle ma fille Cybèle échappe aux Brigades d'Octobre. Savez-vous qu'elle ne me le pardonnera jamais?

LOUVIGNY — Je n'ai pas à tenir compte de ce facteur. Pour moi la situation est la suivante: d'une part, vous vous durcissez dans vos positions et c'est votre fille qui paie la note; d'autre part, vous consentez au rétablissement complet de la paix à Chénier et votre fille a la vie sauve. Avant l'intervention des Brigades d'Octobre, vous pouviez toujours compter sur le coup de dé de la dernière chance, maintenant il ne vous est plus permis.

RÉGIS — Parce que le piège s'est rabattu sur la tête du rat traqué que je suis devenu.

LOUVIGNY — Je comprends que cela vous soit très difficile à accepter mais c'est malheureusement ainsi. Et votre gouvernement ne poursuit plus qu'un seul but à court et à long terme: restaurer la paix sociale partout dans l'État.

RÉGIS — Quitte à faire des compromis criminels?

LOUVIGNY — Vous êtes un excessif. Toute vie au point de départ, et cela est la seule vérité absolue, n'est-elle pas compromise par le souffle inévitable de la mort ?

RÉGIS — Quand nous œuvrons à l'intérieur du temps, nous engageons notre action et les forces vives qui nous animent, à lutter justement contre l'asphyxie et la mort. Mais revenons à Chénier ou plutôt à Grieve maintenant.

LOUVIGNY — C'est un garçon très simple, moins cauteleux que De Guise. Il consent à recommander le retour au travail aux ouvriers à condition que vous n'exerciez aucune discrimination, que vous ne preniez aucune mesure légale contre un seul de ses membres, que vous augmentiez les salaires de tous les travailleurs de douze pour cent et que vous ne touchiez pas aux délégués de chantier... Quant à ces derniers, je suis en mesure de vous dire que votre gouvernement songe à légiférer bientôt pour les mettre hors d'état de nuire, ce que Grieve ignore totalement.

RÉGIS — Et les contracteurs et les différentes firmes impliquées dans les travaux ?

LOUVIGNY — Votre gouvernement les mettra au pas dans un avenir rapproché.

RÉGIS — Ce qui signifie en somme que pour un temps indéterminé, les mêmes abus se perpétueront sur les chantiers ?

LOUVIGNY — Soyez patient et ayez confiance en votre gouvernement. Rien de plus.

RÉGIS — Rien de plus, dites-vous !... Mais vous me demandez de tout lâcher, rien de plus et rien de moins, et vous croyez que je vais accepter de jouer la partie à votre manière ?

LOUVIGNY *lui tend une petite carte blanche* — Vous pouvez me rejoindre à ce numéro. J'y serai dans quinze minutes tout au plus. Je me chargerai de faire connaître votre décision aux parties concernées et aux postes de radio qui sont en ondes la nuit.

RÉGIS *glisse la carte dans la poche intérieure de son veston* — Bien.

LOUVIGNY — Je crois que nous avons fait le tour de la situation et que vous n'avez plus de temps à perdre.

RÉGIS — Il n'y a plus que mon combat ou la vie de ma fille que je puisse perdre. L'alternative est sans équivoque... Je vous tiendrai au courant de ma décision dans peu de temps car je crois avoir atteint le plafond de mes derniers espoirs... L'histoire de hommes se répète tragiquement depuis des millénaires, n'est-ce pas, Louvigny, et nous proclamons partout et à tout propos que nous traversons une ère d'évolution et de progrès comme il ne s'en est jamais vu.

LOUVIGNY — C'est que désormais, l'histoire se refait chaque jour et qu'elle suit les pulsations de l'actualité.

RÉGIS — Ce qui nous entraîne dans l'engrenage aveugle d'une civilisation qui perd la conscience de toute continuité.

LOUVIGNY — Au culte des valeurs éternelles, s'est substitué celui des mirages provisoires et de la consommation immédiate des biens... À tout à l'heure.

Et il sort. Régis, un moment, regarde tout ce qui l'environne et quelques accords de guitare se font entendre. D'ailleurs, les souvenirs brefs et successifs qui affluent à sa mémoire sont ponctués de musique. C'est d'abord Princesse qui paraît à droite, hystérique, presque folle, la coiffure défaite, les vêtements déchirés.

PRINCESSE — Vous ne pouvez pas... Vous ne pouvez pas monsieur Régis, me forcer à rester à la maison! Je vais mourir d'ennui et de peur... Laissez-moi... Laissez-moi revenir ou rester près de vous... Depuis la nuit dernière, il y a tant de mauvais présages partout, tellement de méchancetés!... Les hommes ne méritent pas d'être sauvés de leur médiocrité...

C'est ensuite Courrier que l'on découvre à gauche une fois que Princesse a disparu.

COURRIER — Je suis de la génération de De Guise et je souhaite que le pouvoir appartienne un jour au peuple des travailleurs. Et je suis en faveur de tous les débrayages qui se produisent dans les institutions comme celles-ci, dirigées par des cerveaux dépassés, qui fonctionnent à contre-courant du temps... Je préfère vous remettre ma démission avant de connaître l'outrage d'être chassé par un pontife décadent... Partout où j'irai je déverserai sur votre nom tout le fiel qui s'est accumulé en moi à vous servir...

Courrier se dissout dans l'ombre alors que tout de suite à gauche Cybèle remonte à la surface.

CYBÈLE — Maintenant ne pense qu'à ta propre vie et à tout ce qu'il te reste à faire... Comme à moi, l'uniformité des esprits et la sécurité te font horreur. Et tu ne te laisses pas emporter par des courants concentrationnaires qui charrient des masses d'enfants et d'adultes vers des univers gris et insignifiants. Que tu te retrouves seul devrait te confirmer la légitimité de ta cause.

C'est maintenant Sapo qui se montre brièvement à droite une fois que Cybèle s'est éclipsée.

SAPO — Tu n'as plus rien à gagner dans ton entêtement de réformiste indomptable... Au bout du compte, bien sûr, il te restera Myra mais pourra-t-elle t'alimenter de vertiges et de magie? Entretenir la flamme précieuse à laquelle tu dois te brûler pour être heureux?

Et Régis regarde Sapo qui s'éloigne lentement dans les ténèbres et quelques secondes s'écoulent avant qu'un autre souvenir, plus lointain celui-là, ne remonte à sa mémoire. Les accords de guitare se font plus tendres, moins brefs. Paraît donc Myra, à gauche. Vêtue d'une robe fraîche et légère d'été, elle est ravissante et son sourire lui sied comme un éclat de soleil. Ses cheveux sont décoiffés par le vent et elle tient dans ses deux mains posées devant elle un grand chapeau de paille enrubanné.

MYRA — Cela devrait me faire peur d'être si heureuse mais avec toi il ne m'est plus possible de craindre quoi que ce soit... Cette petite maison de campagne pour toi et moi, ce lac, ces arbres et ces fleurs sauvages, toute cette nature remplie de chants et de soleil... J'y passerais ma vie entière avec toi sans autre besoin que de t'aimer et de savoir que tu m'aimes... Je suis maintenant à toi pour toujours. Et cela me sera égal de vieillir. C'est le premier, c'est le plus beau dimanche de ma vie.

Elle achève à peine ces mots que Régis est ramené au présent par la sonnerie du téléphone. Toute musique cesse et Myra fond dans la nuit comme une neige au printemps. Régis décroche.

RÉGIS — Chénier!
LA VOIX — Les Brigades d'Octobre.
RÉGIS — Que voulez-vous?
LA VOIX — Vous signifier qu'il ne reste plus que trente minutes.
RÉGIS — Donnez-moi la preuve que ma fille est encore vivante.
LA VOIX — Voici.

Après un temps.

VOIX DE CYBÈLE — Va te reposer et ne t'inquiète plus pour moi. L'on ne m'a fait aucun mal jusqu'ici mais je n'attends plus rien d'autre de la vie. Il n'y a plus que ton rêve d'homme qui compte et je crois en toi aussi fort que je t'aime. Bonne nuit, mon grand chéri.

RÉGIS, *crie* — Cybèle !

LA VOIX — Plus que trente minutes, vous avez bien compris ? Sinon vous ne reverrez plus jamais votre fille.

Appareil raccroché. Régis raccroche lentement à son tour.

TREIZIÈME TABLEAU

Note de musique grave et soutenue qui souligne le tragique de la scène qui suit. L'heure est venue pour Régis de faire son choix. Après avoir réfléchi quelques secondes, immobile, il s'assied, attire à lui la petite enregistreuse et le micro placés sur sa table. Il déclenche le mécanisme de l'appareil et lentement commence à dicter.

RÉGIS — Dernier communiqué de Chénier... Pour publication et diffusion immédiates... Après m'avoir confié les destinées de Chénier, les plus hautes instances politiques de mon pays me demandent de saper moi-même les réformes que j'y avais entreprises... Ayant à faire face à une situation de chaos que je crois encore pouvoir résoudre, sans comprendre l'essentiel de mon projet, mais à condition que je condamne ma fille à une mort certaine et prématurée, puisqu'elle est présentement l'otage innocent d'une faction de jeunes terroristes, il ne me reste plus qu'un seul geste à poser dans les circonstances: celui de demander à Dieu, s'Il existe, la force et le droit de disposer moi-même de ma propre vie... Ayant accepté de venir à Chénier, pour y instaurer le souffle d'un humanisme fondé sur ce qu'il y a de beau, de digne, de fraternel et d'impérissable dans l'homme, afin d'améliorer le sort des générations futures en leur assurant l'épanouissement des valeurs créatrices de l'intelligence et du cœur... je me suis heurté à des collaborateurs qui sont devenus les adversaires de l'autorité légitime qui repose toujours entre mes mains... J'apportais ici une fraction du patrimoine de l'humanité et de sa mémoire légendaire. Mais l'envie, l'intérêt, le mépris, l'intolérance, sont venus bouleverser le règne de la compréhension, de la discipline, de la connaissance, du savoir que je désirais ardemment implanter dans un univers d'enfants ballottés par de perpétuels changements pédagogiques, désorientés et perdus au sein d'une société qui renie sa langue et son histoire pour ne se consacrer qu'aux modes aléatoires et qu'aux courants de pensée continuellement changeants du siècle... Mais cette semence que j'ai voulu jeter en terre féconde que l'on tente de stériliser, germera un jour, car le geste que je pose cette nuit restera comme un symbole de ma foi et de mon espoir en l'humanité... Je ne suis pas condamné comme Socrate, à boire la ciguë pour avoir enseigné que l'objet primordial de toute philosophie était l'homme, mais délibérément, de mon propre chef, je prendrai la quantité de strychnine suffisante pour mettre fin à mes jours. Je n'en veux pas à mes adversaires et je remercie ceux qui ont tenté de m'offrir des solutions de compromis que, dans les circonstances, je me devais à tout prix de rejeter. Ma fille aura la vie sauve et ma mort, je conserve ce dernier espoir, éclairera certaines consciences irresponsables et confuses qui ont la responsabilité sacrée de guider un peuple d'enfants vers son plus grand épanouissement, par les sentiers de l'amour. Le soleil se lèvera au bout de la nuit.

Il interrompt le fonctionnement de l'appareil, en retire la mini-cassette et la glisse dans une enveloppe sur laquelle il écrit une note et qu'il cachette. Ensuite, il retrouve, dans son veston, la carte de Louvigny, décroche le téléphone et compose le numéro qu'il déchiffre sur la carte.

VOIX DE LOUVIGNY — Louvigny!
RÉGIS — Ici Chénier!
VOIX DE LOUVIGNY — Heureux de vous entendre. Quelle décision avez-vous prise?
RÉGIS — Aucune. Je vous laisse cette responsabilité. Vous savez ce qu'il faut faire pour que ma fille ait la vie sauve, alors faites-le vite.

VOIX DE LOUVIGNY — Vous réglerez ensuite avec Grieve et De Guise?

RÉGIS — Non. Je vous laisse aussi jouer ce rôle.

VOIX DE LOUVIGNY — Vous remettez votre démission alors?

RÉGIS — Non plus. La décision que j'ai prise est d'un autre ordre.

VOIX DE LOUVIGNY — Mais qu'est-ce que vous faites, Régis?

RÉGIS — Je m'en vais.

VOIX DE LOUVIGNY — Mais où?

RÉGIS — Je m'en vais... et je ne peux vous en dire davantage. Vous me jurez que dans la prochaine minute vous faites le nécessaire pour que ma fille ne soit pas victime de l'indomptable folie de son père?

VOIS DE LOUVIGNY — Bien sûr, Régis, mais...

RÉGIS — Quand vous passerez à mon bureau, vous trouverez un message enregistré que je vous demande de rendre public. Je ne veux rien d'autre. Bonne nuit, Louvigny.

Et il raccroche immédiatement. Certain que le contact téléphonique est rompu, il décroche de nouveau mais pour poser l'écouteur sur la table afin de ne plus être rejoint par le monde extérieur. Puis il ouvre le tiroir de son pupitre, y prend une fiole de strychnine et la pose devant lui. Il allonge ensuite le bras et tire à lui la carafe et le verre d'eau. Il emplit le verre, fait sauter la capsule qui ferme la fiole de strychnine et tout éclairage s'éteint sur scène.

FIN

TABLE

DU MÊME AUTEUR

Dans la Collection Théâtre Leméac

Zone. Éditions de la Cascade, 1955, épuisé. Les Écrits du Canada français, Vol. II, épuisé. Leméac, collection Théâtre canadien, numéro 1, 1968.

Les beaux dimanches. Leméac, collection Théâtre canadien, numéro 3, 1968.

Bilan. Leméac, collection Théâtre canadien, numéro 4, 1968.

Pauvre amour. Leméac, collection Théâtre canadien, numéro 6, 1968.

Le temps des lilas. L'Institut littéraire du Québec, 1958, épuisé. Leméac, collection Théâtre canadien, numéro 7, 1969.

Au retour des oies blanches. Leméac, collection Théâtre canadien, numéro 10, 1969.

Florence. Les Écrits du Canada français, Vol. IV, texte pour la télévision, épuisé. L'Institut littéraire du Québec, 1960, épuisé. Leméac, collection Théâtre canadien, numéro 16, 1970.

Le coup de l'étrier et *Avant de t'en aller*. Deux pièces en un acte. Leméac, collection Théâtre canadien, numéro 17, 1970.

Un matin comme les autres. Leméac, collection Théâtre canadien, numéro 14, 1971.

Le naufragé. Leméac, collection Théâtre canadien, numéro 22, 1971.

L'échéance du vendredi et *Paradis perdu*. Leméac, collection Répertoire québécois, numéro 20/21, 1972.

Médée. Leméac, collection Théâtre canadien, numéro 27, 1973.

De l'autre côté du mur, suivi de cinq courtes pièces. Leméac, collection Théâtre canadien, numéro 29, 1973.

Virginie. Les Écrits du Canada français, Vol. XXIV. Tiré à part aux frais de l'auteur. Leméac, collection Théâtre canadien, numéro 37, 1974.

L'impromptu de Québec ou *Le testament*. Leméac, collection Théâtre canadien, numéro 40, 1974.

L'été s'appelle Julie. Leméac, collection Théâtre Leméac, numéro 43, 1975.

Octobre. Les Écrits du Canada français, Vol. XVII. En préparation chez Leméac.

Chez le même Éditeur

Entre midi et soir. Leméac, collection Le monde de Marcel Dubé, numéro 1, 1971.

Textes et documents. Leméac, 1968. Nouvelle édition : Leméac, collection Documents, numéro 6, 1973.

La tragédie est un acte de foi. (*Textes et documents*, deuxième partie) Leméac, collection Documents, numéro 7, 1973.

Manuel. Leméac, collection Les beaux textes, 1973.

Jérémie. (Argument de ballet) Leméac, collection Spectacles, numéro 1, 1973.

La cellule. Leméac, collection Le monde de Marcel Dubé, numéro 2, 1974.

Poèmes de sable. Leméac, collection Poésie Leméac, numéro 5, 1974.

En collaboration

Hold-up. En collaboration avec Louis-Georges Carrier. Leméac, collection Répertoire québécois, numéro 1, 1969.

Dites-le avec des fleurs. En collaboration avec Jean Barbeau. Leméac, collection Théâtre Leméac, numéro 55, 1976.

Chez d'autres Éditeurs

Le train du Nord. (Courte nouvelle) Les Éditions du Jour, 1961, épuisé.

Un simple soldat. L'Institut littéraire du Québec, 1958, épuisé. Les Éditions du Jour, 1967.

DANS LA MÊME COLLECTION

1. *Zone* de Marcel Dubé, introduction de Maximilien Laroche, 187 p.
2. *Hier les enfants dansaient* de Gratien Gélinas, introduction de Jacques Laroque, 159 p.
3. *Les Beaux dimanches* de Marcel Dubé, introduction de Alain Pontaut, 187 p.
4. *Bilan* de Marcel Dubé, introduction de Yves Dubé, 187 p.
5. *Le Marcheur* d'Yves Thériault, introduction de Renald Bérubé, 110 p.
6. *Pauvre amour* de Marcel Dubé, table ronde: Alain Pontaut, Gil Courtemanche, Zelda Heller, Maximilien Laroche, 161 p.
7. *Le Temps des lilas* de Marcel Dubé, introduction de Maximilien Laroche, 177 p.
8. *Les Traitants* de Guy Dufresne, introduction de Guy Dufresne, 176 p.
9. *Le Cri de l'Engoulevent* de Guy Dufresne, introduction de Alain Pontaut, 123 p.
10. *Au retour des oies blanches* de Marcel Dubé, introduction de Henri-Paul Jacques, 189 p.
11. *Double jeu* de Françoise Loranger, notes de mise en scène d'André Brassard, 212 p.
12. *Le Pendu* de Robert Gurik, introduction de Hélène Bernier, 107 p.
13. *Le Chemin du Roy* de Claude Levac et Françoise Loranger, introduction de Françoise Loranger, 135 p.
14. *Un matin comme les autres* de Marcel Dubé, introduction de Guy Beaulne, 146 p.
15. *Fredange* de Yves THériault, introduction de Guy Beaulne, 146 p.

16. *Florence* de Marcel Dubé, introduction de Raymond Turcotte, 150 p.
17. *Le coup de l'Étrier* et *Avant de t'en aller* de Marcel Dubé, postface de Marcel Dubé, 126 p.
18. *Médium Saignant* de Françoise Loranger, introduction de Alain Pontaut, 139 p.
19. *Un bateau que Dieu sait qui avait monté et qui flottait comme il pouvait, c'est-à-dire mal* de Alain Pontaut, introduction de Jacques Brault, 105 p.
20. *Api 2967* et *La Palissade* de Robert Gurik, introduction de Réginald Hamel, 147 p.
21. *À toi, pour toujours, ta Marie-Lou* de Michel Tremblay, introduction de Michel Bélair, 94 p.
22. *Le Naufragé* de Marcel Dubé, introduction de Jean-Léo Godin, 132 p.
23. *Trois Partitions* de Jacques Brault, introduction de Alain Pontaut, 193 p.
24. *Diguidi, diguidi, ha! ha! ha!* et *Si les Sansoucis s'en soucient, ces Sansoucis-ci s'en soucieront-ils? Bien parler c'est se respecter!* de Jean-Claude Germain, introduction de Robert Spickler, 194 p.
25. *Manon Lastcall* et *Joualez-moi d'amour* de Jean Barbeau, introduction de Jacques Garneau, 98 p.
26. *Les belles-sœurs* de Michel Tremblay, introduction de Alain Pontaut, 156 p.
27. *Médée* de Marcel Dubé, introduction d'André Major, 124 p.
28. *La vie exemplaire d'Alcide 1er le pharamineux et de sa proche descendance* de André Ricard, introduction de Pierre Filion, 174 p.

29. *De l'autre côté du mur* suivi de cinq courtes pièces de Marcel Dubé, préface de Marcel Dubé, 214 p.
30. *La discrétion, La neige, Le Trajet* et *Les Protagonistes* de Naïm Kattan, introduction de Laurent Mailhot, 144 p.
31. *Félix Poutré* de L.H. Fréchette, introduction de Pierre Filion, 144 p.
32. *Le retour de l'exilé* de L.H. Fréchette, introduction de Alain Pontaut, 120 p.
33. *Papineau* de L.H. Fréchette, introduction de Rémi Tourangeau, 160 p.
34. *Véronica* de L.H. Fréchette, introduction de Étienne F. Duval, 120 p.
35. *Si les Canadiennes le voulaient!* et *Aux jours de Maisonneuve* de Laure Conan, préface de Rémi Tourangeau, 168 p.
36. *Cérémonial funèbre sur le corps de Jean-Olivier Chénier* de Jean-Robert Rémillard, 136 p.
37. *Virginie* de Marcel Dubé, introduction de François Ricard, 161 p.
38. *Le temps d'une vie* de Roland Lepage, préface de François Ricard, 151 p.
39. *Sous le règne d'Augusta* de Robert Choquette, introduction de Marie Rose Deprez, 136 p.
40. *L'impromptu de Québec* ou *Le testament* de Marcel Dubé, introduction de Robert Saint-Amour, 208 p.
41. *Bonjour, là, bonjour* de Michel Tremblay, 108 p.
42. *Une brosse* de Jean Barbeau, introduction de Jean Royer, 117 p.
43. *L'été s'appelle Julie* de Marcel Dubé, présentation de Alain Pontaut, 154 p.
44. *Une soirée en octobre* d'André Major, présentation de Martial Dassylva, 97 p.

45. *Le grand jeu rouge* d'Alain Pontaut, introduction de Pierre Filion, 138 p.
46. *La gloire des filles à Magloire* d'André Ricard, introduction de Pierre Filion, 156 p.
47. *Lénine* de Robert Gurik, introduction de Marie Rose Deprez, 114 p.
48. *Le quadrillé* de Jacques Duchesne, avant-propos de Jacques Duchesne, 192 p.
49. *Ce maudit Lardier* de Guy Dufresne, préface de Maurice Filion, 165 p.
50. *Évangéline Deusse* d'Antonine Maillet, introduction de Henri-Paul Jacques, 108 p.
51. *Septième ciel* de François Beaulieu, préface de Alain Pontaut, 105 p.
52. *Les vicissitudes de Rosa* de Roger Dumas, préface de Alain Pontaut, 119 p.
53. *Je m'en vais à Régina* de Roger Auger, introduction de Jacques Godbout, présentation de Marie Rose Deprez, 120 p.
54. *Les héros de mon enfance* de Michel Tremblay, introduction de Michel Tremblay, 108 p.
55. *Dites-le avec des fleurs* de Jean Barbeau et Marcel Dubé, avant-propos de Jean Barbeau, 132 p.
56. *Cinq pièces en un acte* de André Simard, préface de Robert Gurik, 152 p.
57. *Sainte Carmen de la Main* de Michel Tremblay, introduction de Yves Dubé, 88 p.
58. *Ines Pérée et Inat Tendu* de Réjean Ducharme, préface de Alain Pontaut, 127 p.
59. *Gapi* de Antonine Maillet, introduction de Pierre Filion, 108 p.
60. *Les passeuses* de Pierre Morency, préface de Jean Royer, 133 p.

ACHEVÉ D'IMPRIMER SUR
LES PRESSES DES ATELIERS
MARQUIS DE MONTMAGNY
LE 25 FÉVRIER 1977 POUR
LES ÉDITIONS LEMÉAC INC.